Voltaire Schilling

Ocidente X Islã

Uma história do conflito milenar entre dois mundos

L&PM
EDITORES

Capa: Marco Cena, sobre quadro *Batalha Las Navas de Tolosa*, 1212 (Van Halen; Madrid, Palacio del Senado).
Revisão: Caroline Chang, Renato Deitos, Jó Saldanha e Flávio Dotti Cesa
Mapas: Fernando Gonda

ISBN: 85.254.1259-7

S334o Schilling, Voltaire
Ocidente x Islã/ Voltaire Schilling. -- Porto Alegre: L&PM, 2003.
200 p. ; 21 cm.

1.Estados Árabes-História. 2.Conflitos Internacionais-Ocidente-Estados Árabes-História. I.Título.

CDU 953"20"
326.5 (09)(53}(73+4)

Catalogação elaborada por Izabel A. Merlo, CRB 10/329.

L&PM Editores – Rua Comendador Coruja 314, loja 9 – CEP: 90220-180
Floresta – Porto Alegre – RS – Fone: (0xx51) 3225.5777
www.lpm.com.br

Impresso no Brasil
Primavera de 2003

Sumário

Prefácio

Este livro resultou de uma série de textos produzidos recentemente em função do aumento cada vez mais dramático dos conflitos no Oriente Médio, região da Terra avara em enviar boas notícias. O enfoque central é o grande embate que se estende por mais de três mil anos entre o Ocidente e o Oriente, ambos aqui entendidos como expressões bem mais amplas do que as determinadas pela geografia. Os artigos estão colocados numa disposição cronológica, o que não evita que, num ou noutro, haja vista as circunstâncias em que eles foram escritos, encontrem-se situações históricas ou informações repetidas. No esforço de igualmente ressaltar situações muito peculiares da história daquela parte do mundo, o autor recorreu ao testemunho de escritores como Tolstoi, Eça de Queiroz ou T. E. Lawrence, que deixaram vivo testemunho, por vezes entusiástico, sobre o encontro deles com o "outro", isto é, com as coisas do Oriente.

Em diversas oportunidades foram feitas sínteses de determinados momentos significativos da história daquela região, tais como o surgimento do cristianismo, do islamismo, das cruzadas, das lutas dos espanhóis contra os mouros, passando pela classificação das crises do petróleo e chegando até as recentes guerras do Golfo. Com isso pensou-se em cobrir, por meio de um leque de temas amplíssimo, tudo aquilo que fosse relevante ao conhecimento e entendimento do leitor de agora.

O autor não pode deixar passar a oportunidade de registrar com desagrado o clima hostil que desde os acontecimentos tenebrosos de 11 de setembro de 2001 se formou contra o mundo muçulmano, injustamente denunciado por boa parte da mídia somente como uma fábrica de fanatismos. Vieram-lhe à lembrança os tempos medievais, tomados pelo furor teológico, ocasião em que mesmo o grande Dante punia Maomé sem misericórdia, colocando-o estripado num dos círculos do Inferno:

Próximo a nós estava um condenado com as entranhas à vista, rasgado do nariz à garganta e com os intestinos pendurados entre as pernas. Eu o olhava, hesitante, quando ele, me olhando de volta, rasgou o peito com as mãos, dizendo:

– Vês, tu, como eu me maltrato? Vês como Maomé e Ali estão desfeitos, gemendo, e todos esses semeadores de discórdias e heresias? Todos aqui são continuamente rasgados, cruelmente, por um diabo que aqui nos tortura eternamente. Em vão saram as feridas, pois logo ele volta e nos dilacera outra vez! – Depois me perguntou: – E tu, quem és, tentando retardar a tua pena aí sobre a ponte?

(*A Divina Comédia* – Inferno, Canto 28.)

No Brasil, faltam-nos especialistas. Somos pobres, paupérrimos, quando se trata de saber da história das outras partes do globo, especialmente o Oriente Médio. Ao contrário de países como a França, a Grã-Bretanha, a Alemanha e os Estados Unidos, de certa tradição imperial, onde a produção historiográfica geral é prodigiosa, correspondente à sua presença no cenário mundial, a intelectualidade brasileira, com as exceções de sempre, apresenta-se desaparelhada para poder interpretar o que ocorre fora das fronteiras nacionais – situação que podemos apenas remediar.

Voltaire Schilling

1

Ocidente e Oriente, entre raptos e guerras

Por um longo tempo o povo da Ásia não será regido pela lei dos persas, nem pagarão os tributos do mandato do seu senhor, nem mesmo prostrando-se na terra receberão ordens, pois o império do nosso rei ruiu.

Ésquilo – *Os Persas, 472 a. C.*

Desde que a viu, Zeus não mais se conteve. A princesa Io, filha do deus-rio Inachus, era de indescritível beleza. O rei do Olimpo, para fazer com que a sua esposa, a ciumentíssima deusa Hera, não desconfiasse da sua abrasadora paixão, metamorfoseou a moça em uma bela novilha branca a quem ele sempre mantinha pastando a uma certa distância de si. Tempos depois, sabe-se lá se em forma humana ou animal, ela foi levada embora para o Levante por mercadores fenícios, habitantes do atual litoral da Síria e os maiores comerciantes da Antiguidade. Os gregos acusaram o caso como um inequívoco seqüestro da gente do Líbano.

Zeus, por sua vez, perdendo a sua novilha para aqueles comerciantes do Oriente, vingou-se. Transformado em um vigoroso touro branco, deu para aparecer numa praia fenícia, onde uma linda princesa chamada Europa, cercada por suas amas de companhia, diariamente se banhava. Encantada com a mansidão e o porte do estupendo animal, a inocente donzela resolveu aproximar-se dele. Fez mais: atraída pela candura do touro, subiu-lhe à garupa. Era o que Zeus esperava para, num impulso, levar Europa na garupa, raptando-a para os ares da Grécia.

Em um outro episódio, o herói grego Jasão e os seus companheiros de aventura, os argonautas, seqüestraram Medéia, uma princesa oriental dada a fazer feitiços, enquanto navegavam até o

Cáucaso em busca do Tosão de Ouro. Foi o que bastou para que Páris, o príncipe de Tróia, uma cidade oriental, decidisse raptar Helena, a bela esposa de Menelau de Esparta, em represália. Esta medida provocou a primeira e mais longa guerra entre ocidentais e orientais: a guerra de Tróia (que, a confiar-se em Homero, arrastou-se por dez anos, ocorrendo no século XII a. C., segundo os arqueólogos).

Portanto, foi a partir das mitológicas histórias de raptos de princesas, misturadas às confusões provocadas por Zeus – na lenda em que figura uma saudável novilha e um touro branco –, que o Ocidente deu para desentender-se com o Oriente. As provocações e as guerras entre essas duas partes do mundo nunca mais pararam. Uma situação em que cada golpe dado desencadeava uma reação contrária, como se Ocidente e Oriente estivessem presos perpetuamente a uma arena, travando uma longa guerra de socos e pontapés.

Séculos depois da lendária destruição de Tróia, a indisposição dos dois hemisférios tomou vulto maior. No século V a. C., Xerxes I, o Grande, imperador da Ásia Menor, tomou a tarefa de destruir as altivas repúblicas gregas da Hélade, a pretexto de que a cidade de Atenas havia se imiscuido nos assuntos internos das cidades jônias da costa do mar Egeu, que eram tributárias do império.

A expedição militar de Xerxes I, na verdade uma operação punitiva, revelou-se um rotundo fracasso, pois seus comandantes foram impiedosamente batidos nas batalhas de Salamina (480 a. C.) e em Platéia (479 a. C.) pelos capitães-de-guerra atenienses e seus aliados, que enfrentaram os milhares de homens que o imperador persa mobilizara. Tão inacreditável e inesperada foi a vitória dos gregos que Heródoto (484-425 a. C.), inspirando-se na musa Clio, protetora da História, tratou de investigar as causas mais remotas da rivalidade de gregos e persas, tornando-se, assim, o primeiro historiador de que se tem notícia. Portanto, pode-se dizer que a própria História, como a entendemos, nasceu para explicar o nascimento do conflito entre Ocidente e Oriente.

A inacreditável derrota de Xerxes e seus exércitos fora um desastre tão impressionante que inspirou igualmente Ésquilo (525-456 a. C.), que se baseou nele como tema da sua peça intitulada *Os Persas*, apresentada em Atenas no ano 472 a. C. Como não podia deixar de ser, a diferença de forças entre o poderoso império asiático e as pequenas cidades-estado gregas era tão impressionante, tão despropositada, que todos naquela época atribuíram a vitória dos atenienses e dos seus coligados a uma intervenção divina.

A resposta ocidental ao ataque de Xerxes, uma verdadeira operação de vingança contra os persas, deu-se quase um século e meio depois da fracassada invasão da Grécia, com a fulminante campanha desencadeada por Alexandre, o Grande, que invadiu a Ásia Menor, em 334 a. C. O príncipe macedônio, porém, imaginando-se um imperador universal, não tinha preconceitos para com os povos do Oriente. Tanto é que determinou, para escândalo do seu tutor, o filósofo Aristóteles (384-322 a. C.), que não simpatizava com a idéia da mistura de raças, que grandes himeneus coletivos fossem organizados nas áreas ocupadas por seus exércitos para que seus oficiais de origem macedônia ou grega publicamente se casassem com moças persas. Alexandre percebera que seu recém-formado império asiático dificilmente poderia sobreviver a ele se não houvesse um entrelaçamento entre os gregos e os persas.

O desafio mais radical à helenização de boa parte da Ásia Menor e do Oriente Médio, iniciada pela invasão dos macedônios e seguida pela ocupação da região pelos romanos, deu-se a partir do século VII com a surpreendente e rápida expansão da revolução islâmica, liderada inicialmente por Maomé. No ano de 711, o general berbere* Tárik, carregando o estandarte verde do Profeta, desembarcou na Ibéria, conquistando-a com relativa facilidade, integrando-a ao grande Império Muçulmano. Este era um colosso

*Grupo nômade que desde a pré-história habita o norte da África. (N. do A.)

que partia da província do Sind, na Índia, até as praias do Marrocos no Atlântico, a milhares de quilômetros de distância. Por sua vez, a resposta européia à ofensiva árabe-muçulmana do século VII fez-se por meio das cruzadas do século XI. Ocasião em que – desde a pregação do papa Urbano II em Clermont-Ferrand, França, no ano de 1095, clamando aos céus pela libertação do Santo Sepulcro das mãos profanas dos infiéis – levas de cavaleiros cristãos, seguidos pelo povo miúdo da Europa, lançaram-se na direção de Jerusalém com o compromisso de recuperar a região sagrada para a cristandade. A mais esta agressão o Oriente reagiu através de dois movimentos sem conexão um com o outro: na Palestina, no ano de 1187, o sultão Saladino conseguiu recuperar Jerusalém para os seguidores do Profeta, enquanto que, no ano de 1453, a cidade de Constantinopla, a capital da cristandade ortodoxa, capitulou frente aos canhões do sultão turco Maomé II, o Conquistador.

Enquanto Constantinopla era ocupada, fechando aos ocidentais as portas do comércio com a Ásia, quem se mobilizou então contra o Islã foram os portugueses e espanhóis. Visando dar um golpe mortal na prosperidade e no poder muçulmano, vingando-se de sete séculos de sofrida ocupação, os reis ibéricos ativaram uma série de grandes navegações transoceânicas, verdadeiras operações militares e comerciais que escolheram o Atlântico e o Índico como um novo campo de batalha.

Os capitães-dos-mares fixaram a rota das Índias em 1498, com a sensacional viagem de Vasco da Gama, e os portos do Levante tornaram-se inoperantes aos interesses comerciais dos ocidentais, bem como diminuíram sensivelmente os lucros das caravanas dos mouros que cruzavam os desertos trazendo as especiarias do Oriente para os seus consumidores no Ocidente. Contornando a África, os navegadores europeus gradativamente desativaram os históricos caminhos até então feitos por terra e mar que ligavam as atividades comerciais das duas partes do globo.

O Oriente Médio, vasta região de intermediação comercial por excelência, ficou sem função estratégica, visto que, desde o século XV, o eixo econômico daquela parte do mundo deslocou-se do mar Mediterrâneo e dos desertos árabes para as margens do Atlântico e do Índico, subtraindo-lhe toda a importância que até então tinham nas relações Ocidente-Oriente. Ao esvaziar-se a sua posição no cenário dos negócios internacionais, o Oriente Médio, que nos tempos medievais conhecera um grande esplendor econômico e cultural, foi reduzido à impotência, ao empobrecimento e à estagnação. Depauperado, abandonado por todos, mantido na ignorância obscurantista pelo poder dos imãs e dos mulás (líderes religiosos), nada mais restou àquela região do que assistir inerte à assombrosa ascensão do Ocidente.

Quando, em 1798, Napoleão Bonaparte transformou o Egito e suas vizinhanças em um campo de ação estratégica, não eram mais os povos da região que importavam a ele, mas sim usar aquela enorme área como um novo front do seu combate universal contra a Grã-Bretanha. O Egito, historicamente mumificado, só o interessou na medida em que serviu para o estudo do passado, como se fora peça de um grande museu ao ar livre, exposto à curiosidade dos sábios que o imperador francês trouxera da Europa.

Desde então, a bandeira verde do Profeta foi obrigada a encolher-se, dando lugar à crescente cupidez imperialista dos europeus, desejosa de controlar as terras árabes, bebendo-lhes o petróleo e outras riquezas.

2
Restaurando a Torre de Babel

Eis que todos constituem um só povo e falam uma só língua. Isso é o começo de suas iniciativas! Agora, nenhum desígnio será irrealizável para eles.

Gênesis, 11

Em um vale da Mesopotâmia, em tempos imemoriais, os clãs dos descendentes dos filhos de Noé – Sem, Cam e Jafé –, em marcha para o Oriente, se encontraram. Logo decidiram erguer uma enorme torre, a Torre de Babel. Para tanto, empilharam milhares de tijolos, colando-os uns sobre os outros com betume, para fazer com que um dia, andar por andar, os seus altos penetrassem nos céus. Certamente a intenção daquelas tribos crentes era agradecer ao Supremo por terem escapado ao terrível dilúvio que tudo arrasara em outros tempos.

Entretanto, não foi assim que Jeová entendeu aquela monumental construção. Não a sentiu como um possível agrado, mas, ao contrário, entendeu a edificação da torre como um ato de soberba e de ingratidão dos homens. Queriam, isso sim, era rivalizar com Ele. Então, furioso, em um só gesto, fez com que todos os que lá trabalhavam passassem a falar em línguas diferentes. Ninguém mais se entendeu.

Tamanha foi a desavença entre os seres humanos que, para evitar o pior, cada um dos clãs originais resolveu partir para um canto distinto do planeta. Assim, foi desse desacerto do Todo-Poderoso com os homens em torno do significado da Torre de Babel que teriam surgido as confusões que conhecemos e das quais até hoje padecemos, impedindo os homens de se constituírem em uma fraternidade universal. A Suprema Divindade que temia a força daqueles a quem dera vida, ao fazer com que cada tribo, rompendo a unidade original, falasse um idioma diferente, enfraqueceu a humanidade para sempre.

Certamente esse episódio foi o que fez com que o filósofo francês Jean-Jacques Rousseau, no seu *Essai sur l'origine des langues (Ensaio sobre a origem das línguas*, 1781), afirmasse que os diversos idiomas teriam nascido das paixões, frutos dos rancores herdados dos tempos da Torre de Babel, e não das necessidades materiais dos homens. A língua era filha da emoção, não da razão. Ou, como ele mesmo sentenciou, "não é a fome ou a sede, mas o amor, o ódio, a piedade, a cólera que lhes arrancaram as primeiras vozes... para repelir um agressor injusto, a natureza impõe sinais, gritos e queixumes".

Nesse tempo todo, não faltaram profetas, nem poetas, conquistadores ou estadistas, filósofos gregos ou humanistas renascentistas, racionalistas ou revolucionários, messias de toda a ordem, que tentassem reparar o estrago feito pelo Todo-Poderoso quando se tomou de furores contra as suas criaturas na antiga terra da Babilônia, no sentido de fazer com que a humanidade reencontrasse uma maneira de voltar a falar a mesma língua. Ou pelo menos se sentasse ao redor da mesa e, mesmo que por sinais, tentasse recuperar o entendimento perdido pelos descendentes de Noé. E eles foram inúmeros.

Tanto no século XX como neste que adentra, o desacerto continua se dando naquelas mesmas terras da antiga Mesopotâmia. A descoberta de imensos lençóis petrolíferos no subsolo do quadrilátero árabe açulou ainda mais a cobiça dos grandes impérios do nosso tempo – o britânico, o americano e o russo –, que logo trataram de explorar aquela impressionante riqueza a seu favor. Novas torres, só que desta vez para extrair o óleo negro, foram erguidas em uma enorme área que vai do sul da Arábia até Mossul (cidade do atual Iraque), bem mais ao norte. Isto fez com que as potências anglo-saxãs – a Grã-Bretanha e os Estados Unidos –, visando a proteger seus interesses econômico-estratégicos, mandassem erguer bases militares e aeronavais no Kuwait, no Catar, nos Emirados Árabes, no Bahrain, em Oman e até no Djibuti, no litoral da África Oriental, sem esquecer das bases aéreas Rei Kaled e Príncipe Sultan, situadas no miolo da Arábia Saudita.

Além disso, as esquadras navais anglo-americanas do Mediterrâneo e do Mar Arábico patrulham permanentemente a região, cercando-a pelo Norte e pelo Sul, enquanto o Golfo Pérsico é congestionado por diversos porta-aviões, quase sempre em estado de alerta. O cenário atual daquela antiga região espanta pela contradição. Enquanto equipes de arqueólogos escavam sem descanso atrás das imemoriais ruínas de Ur, de Nínive ou da velha Babilônia, em busca dos vestígios primeiros da vida civilizada, ao seu redor são as brocas das perfuradeiras que violam aquele subsolo milenar atrás do combustível necessário para fazer o mundo moderno girar. Assim, em torno de cada um dos poços da região, tal como se deu com a infeliz Torre de Babel, mil línguas com interesses diversos são faladas, bem poucas delas se entendendo.

3
Amós e a tenda de Davi

Há vinte e oito séculos, surgiu no antigo Reino de Israel, no século VIII a. C., um profeta que predisse grandes desgraças para o seu povo devido às deformações sociais em que a Terra Prometida se encontrava. Amós, nas cinco visões que teve, ergueu-se contra o esbanjamento dos ricos e o furor tributário dos governos, acreditando que somente o lavrar de um grande incêndio, acompanhado por uma arrasadora praga de locustídeos, poderia regenerar a sociedade das injustiças, permitindo então que se erigisse nela uma nova tenda de Davi.

> *Vós transformais o direito em veneno e o fruto da justiça em absinto.*
>
> Amós – *O Livro de Amós* (Amós, 5)

Mesmo não pertencendo a nenhuma família de *nabis*, de profetas, Jeová escolheu o vaqueiro Amós, da insignificante aldeia de Técua, como seu arauto. Estimulou-o a que fosse para o Reino do Norte, para as proximidades de Jerusalém e Belém, para levar ao povo as suas palavras. Cumpria-se assim mais uma dessas estranhas determinações do Todo-Poderoso, sempre inclinado em escalar gente simples para seu porta-voz, como se vê ao longo do Livro Sagrado – ora é um pescador, um pastor, ou ainda um marceneiro. Como a maioria dos profetas, Amós era um desconforto só. Não houve o que o seu verbo poupasse no reino de Jeroboão II (781-741 a. C.). Irritou-o particularmente o costume dos ricos fazerem suas oferendas envoltos no maior luxo. Na verdade, disse ele, com os seus holocaustos, os seus sacríficios ao Todo-Poderoso, os ricaços não estão preocupados em agradar a Deus, mas sim em exibir-se aos pobres, em mostrar que enquanto muitos gemem de fome eles dão-se ao luxo de entregar um carneiro gordo às chamas. Portanto, para ele, Amós, aquela liturgia era vazia de sentido. O que ele desejava era "que o direito corra como a água e a justiça como o rio caudaloso".

Amós não parou por aí. Lançando ameaças para todos os lados – às nações vizinhas e também a Judá e a Israel, de quem cobrou compromissos morais mais elevados exatamente por ser a terra escolhida por Jeová –, o profeta causou grande apreensão. Os governantes locais, arengou ele, eram cúpidos sem escrúpulos que expulsavam o pedinte da sua porta, extorquindo-lhes o pouco que tinham por meio de tributos e impostos, além de aumentar o preço do trigo ao seu bel-prazer. Não lhes deixavam nem figo nem tâmaras. Recolhiam até as migalhas.

Chocou-se com a ostentação dos palácios na Samária, uma das regiões do antigo reino de Israel, pensando que cada pedra, cada coluna, cada escadaria fora erguida às custas do sacrifício da multidão de pobres. Uma concentração de riquezas que lhe pareceu obscena. Ele previu, então, que "um inimigo cercará o país, arrancará de ti o poder, e os teus palácios serão saqueados". Amós fez peregrinações (supõe-se que entre 760-750 a. C.) por Betel e pela Samária, as terras do sul de Israel. Homem do interior, vindo de um vilarejo de criadores de ovelhas, perturbou-se com o largo uso do vinho que os poderosos faziam nas refeições com suas mãos engorduradas em porções de carne de carneiro e, pior ainda para ele, acompanhadas por música!

Pois não é que aqueles patifes licenciosos ousavam imitar a harpa de Davi para o seu exclusivo deleite? Espantou-o ainda a ganância dos comerciantes que não perdiam oportunidade de tosquiar todos, prevendo a irrupção de uma revolução futura dos insatisfeitos. Nesse momento, Jeová, furioso, indignado, voltou a aparecer-lhe. Não dera aquela terra, assegurou ele a Amós, para que nela exercessem injustiças, nem para que ela fosse palco de ostentações, de gente alardeando vestir sedas e usar rubis.

Era preciso, pois, fazer purgar aquela sociedade injusta, punir os judeus, expulsar o povo eleito da Terra Prometida. Uma praga de gafanhotos seguida de um nutrido fogo, acompanhado de algumas decapitações – "bate no capitel para que tremam os umbrais" –, faria o trabalho de uma salutar devastação purificadora. Eliminadas as iniqüidades sociais, administrado o violento corretivo , atuando a plaina divina em favor do fim das desgraças sociais, aí sim Amós previu um destino melhor a todos.

Levantando a tenda de Davi

Acalmado o incêndio reclamado por Amós, enfarados os gafanhotos, arrasada a petulância dos ricos, era o momento de se pensar em reconstruir a tenda de Davi, símbolo de uma sociedade onde "quem colhe é quem come, quem cuida do pomar é quem goza o fruto, o que planta a videira é quem bebe do licor". Porque as colinas – as diferenças sociais entre os homens – já teriam sido derretidas. Esta era a utopia social do profeta Amós. Desnecessário acrescentar que, após uma entrevista com o grão-sacerdote Amasias, por quem foi chamado a dar explicações, ele foi acusado de subversivo junto ao Rei Jeroboão e expulso de Betel. Retornou a Técua, o seu lugarejo, onde ele sumiu para sempre nos tempos. A sua última visão foi:

...levantarei a tenda de Davi que está caindo, repararei as brechas, levantarei as ruínas e a reconstruirei como nos dias antigos, para que reconquistem o resto de Edom e todas as nações sobre as quais o meu nome for proclamado.*

---

* Terra dos edomitas, região ao sul do mar Morto, atualmente na fronteira entre a Cisjordânia e o Estado de Israel. (N. do A.)

Oráculo do Senhor, que realiza estas coisas. Eis que virão dias, oráculo do Senhor, nos quais quem semeia estará próximo de quem colhe, quem pisa as uvas, de quem planta; as montanhas destilarão mosto e todas as colinas se derreterão. Mudarei a sorte do meu povo, Israel; eles reconstruirão as cidades devastadas e as habitarão, plantarão vinhas e beberão o vinho, cultivarão pomares e comerão os frutos. Eu os plantarei em sua terra e já não serão arrancados da terra que lhes dei. Diz o Senhor teu Deus.

(Amós, 9, 11-15)

Séculos depois dele, um outro homem do interior do Reino de Israel, vindo da Galiléia, também pregou pela restauração da tenda de Davi*. Só que, para ele, ela estava no além, no Reino dos Céus, e quem a alcançaria não o faria pelos recursos extremos da revolução social como imaginou Amós. A tenda erguida por Jesus Cristo era construída de puro espírito. Ele era o Filho do Homem incumbido de salvar os recatados e os injustiçados, afastando-os do pecado e das tentações da carne e do ódio, prometendo-lhes a igualdade e a total supressão dos agravos em um outro reino.

E, desde então, o mundo de certo modo oscila entre a proposta de Amós e a de Jesus Cristo: entre erguer a tenda de Davi em uma terra depurada pela revolução social violenta ou estender suas lonas lá em cima, pacificamente, no Reino dos Céus. Profetas da revolução social como Jean-Jacques Rousseau imaginaram-na estendida em meio à natureza, cercada pelo ar puro dos campos e

---

* O historiador John Bright (*História de Israel*, 1972), ao ponderar, no capítulo "O protesto profético: Amós e Oséias", que Amós não pregava nenhuma revolução contra o Estado, embora fosse acusado disso, não considera que o profeta mantivesse sequer uma esperança utópica qualquer, porque "acreditava que Israel não tinha mais cura, nem mesmo com uma revolução: Jeová e somente Jeová é que deveria vingar-se". Porém a leitura atenta da visão derradeira indica que o "levantar a tenda de Davi" era, sim, o projeto político dele, Amós.

das matas, habitada por gente simples dedicada à lavoura e ao artesanato. Outros, como Karl Marx, queriam-na firmada coletivamente, içada pela mão rude do proletariado insurgido. Uma vez incompletas ou fracassadas, tanto a reforma de Rousseau como a revolução de Marx, a humanidade, sempre diligente, volta a interrogar-se: onde, afinal, se poderá reerguer algum dia a tenda de Davi?

4

A REVOLUÇÃO DA CRUZ

Eu te fiz luz das nações, para seres a salvação, até os confins da Terra.

Atos dos Apóstolos, 13

Cornélio, um comandante da Cesaréia, porto da Palestina romana, um homem muito religioso, certo dia teve uma visão. Um esplendoroso anjo apareceu-lhe na hora das orações para dizer-lhe que ali perto, na vila de Jope, estava Pedro, um enviado do Senhor, a quem seria bom ele mandar chamar. Ciente de que um judeu não poderia freqüentar a casa de um gentio, o apóstolo mesmo assim não se negou ao chamado, pois, como ele disse, "nenhum homem deve ser considerado profano ou impuro". O romano aproveitou então para reunir os seus familiares afim de poderem beber à santa preleção daquele homem que havia privado com o filho de Deus. Estava Pedro narrando a missão de Jesus quando, por um instante, de surpresa, viu que o Espírito Santo derramou-se sobre todos os presentes, sendo-lhe indiferente serem eles judeus ou gentios. Os seguidores de Pedro se espantaram. Não imaginaram que essas coisas inexplicáveis, tais manifestações do maravilhoso, tão comuns entre os hebreus, pudessem contemplar os de fora da Palestina.

Tempos antes, por ocasião do Pentecoste, Pedro verificara um fenômeno semelhante em um encontro em Jerusalém. Momento em que sua gente, em um repente, tocada por um sopro divino, deu para expressar-se em línguas que não conheciam e de que nunca ouviram falar antes. Atraíram então muitos visitantes ao círculo cristão, judeus de outras nações, espantados em poderem ouvir tão longe de casa o idioma pátrio. Outra vez, um grupo de galileus que privara com Jesus, ao subirem em uma das montanhas que cercavam o lago Tiberíades, onde o Salvador tanto pregara, imaginaram ver o seu espectro divino traçado em pleno ar. Do alto de um cume, com os braços bem abertos abrangendo toda a terra que dali se avistava, assegurou a eles que o futuro lhes pertencia. Para Pedro, esses sinais do Espírito Santo e a aparição do Senhor eram a evidência de que a boa nova não deveria ficar circunscrita só aos da terra e à língua aramaica.

Ao tempo em que isso se dava na Palestina, na Síria o apóstolo Paulo e seu companheiro Barnabé chegavam de volta à Antióquia (a real capital do cristianismo daqueles primeiros tempos). Empolgados, mal tirando o pó da estrada, relataram ao pequeno grupo da sua igreja a bem-sucedida viagem que fizeram pelo interior da Pisidia e da Panfilia, onde, durante quatro anos (45-49), acompanharam-nos sinais e prodígios que muito os ajudaram nas conversões dos pagãos. O entusiasmo deles, no entanto, arrefeceu quando tomaram conhecimento de que haviam chegado uns irmãos vindos da Judéia insistindo que a salvação, a glória da vida eterna, só poderia ser alcançada pelos circuncidados "segundo a Lei de Moisés", isto é, os judeus.

A polêmica logo se instalou entre eles. Afinal, perguntavam, a palavra de Jesus só dizia respeito aos de fé mosaica? Para resolver o dilema, Paulo e alguns outros partiram de Antióquia para Jerusalém para entrevistar-se com os apóstolos e os presbíteros que lá tinham seu centro, para dirimirem as dúvidas. Pedro foi categórico: ele mesmo presenciara o Espírito Santo contemplar indistintamente o Povo do Livro e os gentios, "purificando-lhes pela fé os corações". Desde que obedecessem a certas prescrições, concluiu o apóstolo, para a alegria dos pagãos, todos seriam salvos do mesmo modo, pois na constelação do céu cristão sempre caberia mais um.

Os historiadores das idades primeiras da Igreja cristã chamaram este singelo mas decisivo encontro como o Concílio de Jerusalém, o primeiro deles, ocorrido no ano de 49. Seria ele o marco definitivo da ruptura do judaísmo com o cristianismo. Separação que o tempo ampliou mais ainda, visto que a pregação cristã da eminente chegada do Reino dos Céus anunciada pelo Messias só enervara os judeus, fartos de falsos profetas (consta que, na época de Jesus, uns quatro ou cinco outros messias também se anunciaram).

Na Palestina, contando os romanos com o auxílio do governo colaboracionista da dinastia dos Antipas e sendo Herodes o mais famoso de todos eles, os cristãos foram vistos, ainda que por motivos distintos, como agentes divisionistas e agitadores provocadores de tumultos. Para os saduceus, os grandes sacerdotes do Templo de Jerusalém, os cristãos ameaçavam a respeitável autoridade teológica de uma hierarquia encastelada há séculos nas altas instâncias do poder religioso. Quanto aos fariseus, os guardiões da Lei Mosaica, nacionalistas desejosos de verem os romanos pelas costas, o proselitismo evangélico dos seguidores de Cristo parecia-lhes escapista, uma fuga para o Além, pois as pregações cristãs de paz e concórdia com o inimigo enfraqueciam a resistência ao invasor e ocupante de Israel.

Pescar em outras águas

Talvez fosse essa hostilidade generalizada (Estevão e Tiago, dois dos chefes da Igreja de Jerusalém, haviam sido um lapidado, o outro torturado), situação, aliás, prevista por Jesus Cristo, o que mais contribuiu para que os apóstolos se decidissem por estender sua rede em águas mais distantes, levando a revolução da cruz a outras paragens, traduzindo o evangelho para outros idiomas. Com o tempo, como se viu, lançaram-se à conversão do gênero humano por inteiro, obra em sua maior parte começada pelos passos de Paulo.

Desprezada na sua terra, escorraçada pelo Sinédrio, o supremo senado judaico, perseguida pelos romanos, a nova fé foi pescar junto aos gentios e aos pobres espalhados pelo mundo todo. Deu início assim a esta paradoxal e impressionante história na qual aquele que viu a primeira luz em uma paupérrima manjedoura em Belém tivesse como o seu sucessor e herdeiro, pouco mais de mil anos depois, alguém como o papa, reverenciado como um deus-vivo, ocupando palácios e sendo bajulado pelos poderosos. A crença cujas primeiras fraldas foram estendidas em um estábulo da Palestina, ao transferir-se para Roma e ascender ao poder, deu-se a vestir luxos, anelando-se em ouro e em tiaras de jóias raras, cobrindo-se do sol com cortinas de veludo carmesim, sentando-se em trono de imperadores, confraternizando e usufruindo, enfim, aquilo que Jesus Cristo recomendou aos seus que mantivessem a distância.

Dois mundos: o pagão e o cristão (entre os séculos III e IV)

O mundo pagão	O mundo cristão
Sociedade hierarquizada, rigidamente dividida entre a nobreza (*nobilis*) e os cavaleiros (*equites*), nos escalões superiores, e a plebe (*humiliores*) e os escravos (*servus*), nos inferiores.	A comunidade cristã, em que todos são iguais perante Deus, não havendo nem senhores nem escravos, nem ricos nem pobres.
O poder político é exercido pelo império dos Césares.	A expectativa é o Reino dos Céus.
A religião é a adotada oficialmente pelo império, implicando a adoração ao imperador, estimulando a idolatria e o culto ao corpo.	Monoteísmo, a crença em um Deus único incorpóreo. Por não prostrarem-se ao imperador e não adorarem ídolos, eram considerados ateus.

Costumes liberais, moral sexual relaxada, permissiva, tolerante com o aborto e o divórcio.	Moral puritana, casamento indissolúvel e condenação ao controle da natalidade. Sexo é aceito nos limites do casamento.
Culto ao ócio e aos prazeres da mesa e da carne, estimuladores da preguiça. Desprezo pelo trabalho manual, comum às sociedades escravistas.	Valoração do trabalho, mesmo do ofício humilde. Afinal, Jesus era marceneiro, e Pedro, pescador.
Adoração a *Mammon*, a idéia do dinheiro, do luxo e da riqueza.	O enaltecimento da pobreza, desde que honrada e digna. É aos pobres, aos humildes, que cabe o Reino dos Céus.
O universalismo romano era limitado aos seus interesses políticos e estratégicos, dividindo o *Orbe Mundii* em civilizados e bárbaros.	O universalismo evangélico para o qual "não havia gregos nem judeus", abarcando o ecumênico por inteiro.
O homem encontrava-se preso às superstições do paganismo e ao estado imperial romano, a quem devia obediência e submissão.	Renascido pelo batismo, o cristão, tendo liberado inteiramente a sua alma, é um homem livre que só se devota a Deus.
As filosofias estóica e epicurista, comuns no Alto Império, conduziam os indivíduos ao isolamento e ao usufruto privado das coisas.	A conversão dava novas energias ao crente, tornando-o um ativista da caridade e da solidariedade, empurrando-o para junto do seu próximo.
Ainda que em declínio, os valores guerreiros da valentia e da coragem conduziam às práticas cruéis e flagelantes, à busca da submissão do inimigo em favor da ampliação do império.	Enaltecimento da mansidão e da humildade. Herói e corajoso é o mártir, o que se deixa matar pela causa para assim, com seu exemplo de bravura, expandir ainda mais o Reino de Deus.

Fonte: Daniel-Rops – *A Igreja dos Apóstolos e dos Mártires*, p. 134-7.

5
O islamismo

Geograficamente, o islamismo, religião fundada pelo profeta Maomé no século VII, é uma fé que predomina no intenso cinturão do sol que enlaça o planeta. Aclimata-se melhor na longa faixa de terra que, partindo das praias africanas do Atlântico, segue para o Leste pela borda meridional do mar Mediterrâneo, inclinando-se depois em direção à Mesopotâmia, passando pela Península Arábica e alcançando o noroeste da Índia. Dali, pelo oceano Índico, chega até as ilhas semitropicais da Indonésia e das Filipinas. Outro dos seus longos braços avançou célere para o coração da Ásia Central, afastando dali os ritos fetichistas e pagãos, realizando conversões em massa entre os euro-asiáticos. Nos seus 1.400 anos de existência, a religião mais jovem da Terra, o islamismo, conseguiu a façanha de converter um quinto da humanidade à sua fé, que abriga todas as raças e todas as línguas do planeta. Exatamente por esse seu ecumenismo, essa ambição de abraçar o mundo inteiro e trazê-lo para o redil do Profeta, é que ela terminou por conflitar-se com o cristianismo, nascido igualmente na mesma região e tendo as mesmas ambições de conversão universal.

Maomé

Ao contrário de tantos outros profetas que só conseguiram sedimentar sua mensagem por meio dos seus apóstolos, muito tempo depois da morte, como foi o caso de Jesus Cristo, o profeta Maomé viu sua obra ser consagrada em vida. Em 630, depois de vinte anos de pregação, ele entrou em Meca como um vitorioso.

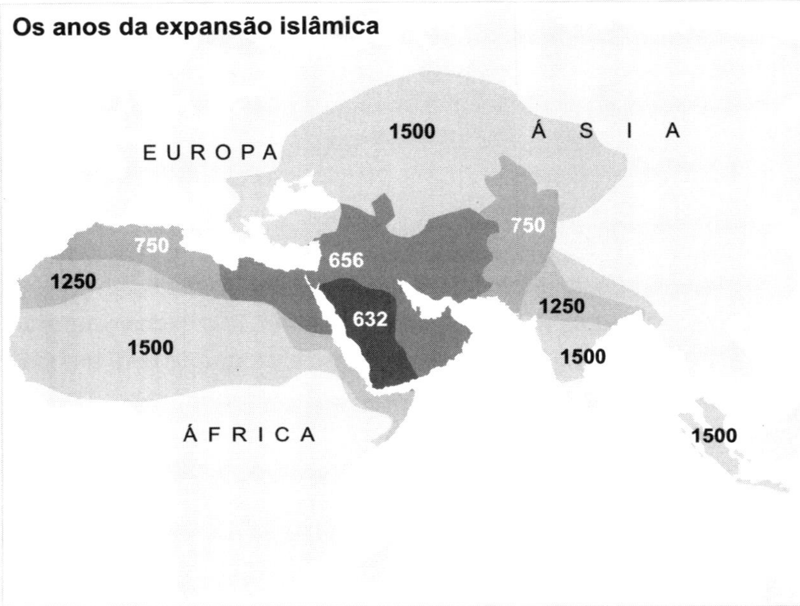

Conseguira por fim converter o Islã à nova fé anunciada por ele, não só a cidade principal da Arábia, como todas as tribos árabes que habitavam a grande península. Nascido em Meca em 570, durante anos ele viajara como mercador pelas mais variadas rotas dos desertos saarinos, atividade que lhe permitiu juntar um bom patrimônio, especialmente devido ao seu casamento com a rica viúva Cadija. Com o tempo, ele sentiu-se cada vez mais envolvido por preocupações religiosas, entregando-se à meditação em breves retiros que começou a fazer. Somente aos 40 anos, ao redor de 610, ele teve por fim uma revelação, quando o arcanjo Gabriel fez-lhe ver que Alá, o todo-poderoso, o escolhera como o seu mensageiro. Retirado para uma gruta no monte Hira, Maomé terminou por confirmar a aparição, dedicando-se então a pregar a boa nova o restante da sua vida. Só havia um deus! Era Alá, e todos deveriam resignar-se perante ele (*islam = resignar-se ou prostrar-se*).

A escolha de Maomé como "apóstolo de Alá" deu-se sob duas formas: uma intelectual e outra, bem mais forte, de ordem emocional. A primeira delas, a revelação propriamente dita (*tanzil*), fez dele o redator da Escritura Sagrada, do Corão (recitação), que lhe fora trazida por um anjo. A outra parte da revelação ocorreu em forma de uma inspiração (*nahyi, ilman*), responsável pela conversão do coração do Profeta, passando a regular a sua conduta e servindo como exemplo a ser seguido pelos fiéis. Maomé confiou sua visão a sua mulher, Cadija, tornando-a a sua primeira seguidora, convertendo a seguir os seus parentes mais próximos. A sua tentativa de ganhar o coração dos corachitas, tribo em que nascera, porém, trouxe-lhe os primeiros dissabores. Maomé, como a maioria dos profetas, demorou para ser bem aceito na sua cidade. Mesmo assim, ele não esmoreceu em fazer da nova crença um poderoso instrumento para estabelecer novas bases sociais para os povos do deserto. O ponto da discórdia entre Maomé e os principais de Meca foi justamente a condenação dele à adoração dos ídolos. Já naquela época, Meca – por ser o local onde se encontrava o sagrado poço de Zem-Zém (do qual o avô de Maomé foi zelador), de onde, desde tempos imemoriais, jorrava a preciosa água – era uma cidade que acolhia peregrinos vindos dos mais diversos cantos do deserto. Os comerciantes da praça e toda aquela chusma que vivia ao redor da Caaba, a pedra negra sagrada (depois designada como Baitullah, a Casa de Alá na Terra), temiam que a pregação contra a idolatria afastasse os visitantes, estragando-lhes o negócio. O desentendimento deles com Maomé – tal como Cristo teve com os vendilhões do templo – fez com que ele se retirasse para a cidade vizinha de Medina. Este movimento, chamado Hégira (retiro), assinalou a data da Nova Era (16 de julho de 622), desde então o ano primeiro do calendário muçulmano. O número de seguidores da nova fé (os *muhadjirun*) aumentava, opondo-se crescentemente aos que se negavam à conversão, os *munafiqun* (os hipócritas, os que não a aceitavam).

O embate final deu-se na "batalha do fosso" em Medina, quando a cavalaria enviada de Meca para reprimir os seguidores de Maomé fracassou em tomar de assalto as posições do Profeta. Essa vitória, ocorrida em 627, abriu caminho para o Tratado de Hodaibyia, de 629, que assinalou finalmente a capitulação dos habitantes de Meca, permitindo que Maomé retornasse vitorioso a sua própria casa.

Neste espaço de tempo, o profeta passara por três fases distintas. Inicialmente, em uma época entremeada por meditações e dúvidas, ele fora o eleito por Alá como o seu Anunciante, depois se revelou um comandante de homens, um general, um estrategista, para, por último, terminar os seus dias como um conquistador e um estadista, aquele que lançaria as bases de um estado islâmico.

O cenário histórico

A região da Arábia na época de Maomé, isto é, entre os séculos VI e VII, pertencia à periferia do Império Romano do Oriente (Bizantino), situado ao norte, e era igualmente considerada área de interesse marginal pela outra potência daquela época, o Império Persa, da dinastia Sassânida, localizado ao leste. A Arábia, por sua vez, uma enorme península de mais de 3 milhões de km^2, nada mais era do que um imenso deserto, habitado aqui e ali por insignificantes tribos beduínas que, com suas caravanas de camelos, cortavam suas areias em todas as direções daquele mundo desolado. Elas, as tribos árabes, viviam em intermináveis conflitos, travando guerras intestinas motivadas pela posse dos oásis ou para vingarem um saque qualquer a que tivessem sido submetidas. Cada uma das tribos tinha um culto voltado aos seus ídolos particulares. Maomé, importando o monoteísmo de suas viagens pelo mundo cristão-bizantino, além de impor a crença em Alá, igualmente trouxe na bagagem a idéia de um império da lei e da ordem que de algum modo pudesse pôr fim às intermináveis rixas intertribais. O resultado disso foi o Islã, a fusão de uma mística religiosa baseada em um deus único, omnisciente e omnipresente, com um estado de lei e ordem comum a todos os habitantes do deserto. O seu objetivo era estabelecer a paz entre eles, sendo que o sentimento de fraternidade islâmica deveria superar os códigos limitados dos clãs e das tribos, convertendo-as todas elas na idéia da *Umma*, isto é, a imensa comunidade dos crentes em Alá. Portanto, bem ao contrário de Jesus Cristo, cujo reino era o dos céus, Maomé solidificou os poderes espirituais e os temporais em um só corpo, assumindo-se simultaneamente como profeta e estadista (o que explica, até hoje, a enorme dificuldade dos políticos muçulmanos em separarem as coisas do Estado das coisas de Alá).

Os preceitos da nova fé

O islamismo é uma religião que chama a atenção por sua absoluta simplicidade. Talvez por ter nascido no deserto, expressão direta da vida proba e simples do beduíno, não encontrando de imediato nenhum império poderoso que o acolhesse e o tornasse religião oficial – como ocorreu com o cristianismo em Roma e em Constantinopla e com o zoroastrismo no Reino da Pérsia –, o Profeta dispensou os aparamentos litúrgicos mais rebuscados, bem como cerimoniais solenes ou pomposos, tão comuns às outras grandes religiões. Embora aceite a existência de alguns mensageiros divinos, não há santos nem outros intermediários significativos entre o muçulmano (aquele que se submete a Deus, o crente) e o Único (Alá). O fiel comunica-se diretamente com o Todo-Poderoso, perante quem todos são iguais, sem distinção de qualquer espécie, seja de riqueza, raça ou sexo. Frente a Alá, não há opulentos nem pobres, nem nobres nem párias, somente os seguidores do Profeta. Na sua época, o islamismo foi o mais poderoso instrumento de igualitarismo entre os homens, pois a pregação da caridade e da fraternidade tornou-se uma ponte que ligava os extremos sociais e aplainava os preconceitos contra os pobres.

Obrigações do crente

Maomé, por sua vez, nunca se viu como divino, dotado com uma outra natureza que não fosse a humana. O Corão, livro sagrado do islamismo, composto de *suras* (capítulos) e versículos, foi-lhe inspirado diretamente por Alá. Não se trata de um testemunho como os Evangelhos cristãos, mas sim das lições do próprio Único transmitidas ao Escolhido, as quais o fiel deve recitar. Maomé considerava-se o derradeiro profeta de uma linhagem sagrada de homens iluminados por Deus, uma nominata que começara nos remotos tempos de Moisés (que trouxe a Torá para os judeus), passara por Davi (que escrevera os Salmos) e por Jesus Cristo (que aparece nos Evangelhos), chegando até ele, o autor do Corão, inspirado diretamente por Alá. Justamente por isso, por ele ser o último dos profetas históricos, na visão do próprio Maomé e dos seus seguidores, superou a todos os que o antecederam. Foi o derradeiro escolhido para ser o portador da Verdade.

A adesão do crente ao Islã verifica-se pela obediência e pelo comprometimento com o que se denominou os cinco pilares do muçulmanismo: 1) a declaração de fé em Alá (*shahada*); 2) a oração diária (*salat*); 3) a peregrinação a Meca (*hajj* ou Hégira); 4) a prática do jejum religioso (no mês do Ramadã); 5) e, finalmente, o compromisso com a caridade (em forma do dízimo, o *zakat*). Alguns supõem que também faz parte das obrigações, entrando como o 6º pilar da fé islâmica, a adesão à *jihad*, a guerra santa na defesa do Islã.

A mesquita e a prece

Tal como o judaísmo ensejou a sinagoga, e o cristianismo, a igreja, o islamismo também criou o seu próprio templo: a mesquita (do árabe *mosqe*, derivada de *masjid*, lugar onde se prostra). A primeira delas foi fundada por Maomé em pessoa na época em que ele esteve exilado na cidade de Medina. No chão dela encontram-se espalhados, em linha, os tapetes sobre os quais os fiéis fazem a prostração e rezam as orações, sempre voltados em direção ao *mihrab* (um nicho fixado na parede que indica a direção de Meca). Na mesquita não existem bancos, pois a madeira era escassa ou inexistente na Arábia.

É obrigatório aos que a freqüentam retirar o calçado em sinal de respeito e como um gesto de purificação (deixa-se a poeira da rua na entrada). As preces são presididas por um imã, do alto de um *minbar* (púlpito), que também é o responsável pelo *khutbah* (o sermão), não havendo porém um corpo oficial de sacerdotes responsáveis pela liturgia. Na mesquita não devem existir reproduções de figuras humanas ou animais, pois esta foi uma proibição expressa pelo Profeta. Em compensação, ela pode ser decorada com passagens do Corão, escritas em bela caligrafia, ou ainda profusamente ornada com arabescos. Para chamar o povo às preces, instalou-se no alto dos minaretes que cercam a mesquita o muezim, um arauto que, lá de cima, pairando sobre todos, avisa com voz forte e ondulada a hora da *salaah* (oração), que se divide ao longo do dia em cinco momentos: a *fajr* (ao amanhecer); a *zuhr* (ao meio-dia); a *asr* (durante a tarde); *magrib* (ao entardecer); e a *ishha* (à noite). Em cada uma delas a recitação é:

Allaabu Akbar (recitar 4 vezes: "Alá é o maior").

Ash'hadu an laa ilaaha illallaah (recitar 2 vezes: "Sou testemunha de que não há nada senão Alá").

Ash'hadu anna Muhammadar-rasulullaah ("Sou testemunha de que Maomé é o mensageiro de Alá").

Haya 'alas-salaah (recitar 2 vezes: "Venham rezar").
Ilaya 'alal falaah (recitar 2 vezes: "Venham para Deus").
Allaaku Akbar (recitar 2 vezes: "Alá é o maior").
Laa ilaaha illallaah (e uma vez: "Não há nenhum deus senão Alá").

O Corão, livro sagrado do Islã

O *Qu'ram* (Corão), livro sagrado dos muçulmanos, é um conjunto notável de ensinamentos de Alá transmitidos ao profeta Maomé ao longo da sua existência. Supõe-se que a maioria das 114 suras (capítulos) de que ele é composto foi-lhe inspirada em Medina e Meca, sendo imediatamente registrada, copiada e recitada pelos seus seguidores, entre os anos de 610, ano da conversão de Maomé, até a morte dele, em 632. Provavelmente outras passagens foram-lhe ainda acrescentadas até o ano de 650. Como a linguagem de Alá nem sempre é facilmente entendida, suas alusões provocaram o surgimento de uma ciência de interpretação feita pelos doutores corânicos, os teólogos islâmicos. O Corão é um imenso tratado moral e ético que serve para orientar o crente a encontrar o bom caminho, tentando fazer com que os homens reprimam os seus instintos piores, que resistam à maldade e à perversão, encontrando consolo e apoio nas palavras enviadas diretamente por Alá. Escritas em árabe, a língua preferida pelo Todo-Poderoso, as cópias do Corão estimularam várias escolas de caligrafia, cada uma delas procurando esmerar-se em tornar o texto uma obra de arte integral. Por organizar-se ao redor de um só livro é que o islamismo terminou por considerar os outros "Povos do Livro", como os judeus e os cristãos, como aparentados ao maometanismo, todos eles filhos do patriarca Abraão.

Estrutura religiosa e civil

Governo	**Justiça**	**Teologia**
(Inspiração teocrática)	mufti (jurisconsulto)	Sunna (tradição)
califa e sultão	cádi (aplica a lei)	Ulemá (intérprete corânico)
siyasa e kanun		
(governo e normas gerais)		

A sucessão do Profeta

Quando Maomé morreu em Meca, provavelmente aos 62 anos de idade, em 362, não deixou nenhuma determinação quanto a sua sucessão. Afinal, era o Profeta, o único escolhido por Alá. Foram os seus herdeiros Abu Bekr e Omar, pertencentes ao seu círculo familiar, que decidiram então se autodesignar como *califas* (os sucessores), acumulando funções religiosas e seculares, sem porém terem a pretensão de acrescentar o que fosse à palavra e à obra do Profeta, preocupando-se mais em preservar e em difundir seus ensinamentos, condenando, a princípio, qualquer ousadia em tentar alterar o Corão.

A não-existência de um corpo sacerdotal separado do Estado não gerou no mundo muçulmano, pelo menos não na mesma dimensão, o conflito tão comum na cristandade entre o poder temporal ou secular (exercido pelo imperador ou pelo rei) e o poder espiritual (representado pelo papa ou pelo sacerdote). O Islã desconhecia, até as reformas de Kemal Atatürk na Turquia dos anos de 1920, a independência dos poderes profano e sagrado. Em geral, em um país muçulmano, religião e Estado encontram-se misturados, fundidos em uma coisa só – a ordem islâmica.

Os principais califados, sucessores do Profeta após a sua morte, foram o Califado de Abu Bekr (632-634), o Califado de Omar (634-644), o Califado de Otman (644-656), o Califado de Ali (656-661) e o Califado de Moawiya I (661-680), enquanto as principais dinastias que dividiram o vastíssimo território do império maometano foram a dos Omíadas (Império Árabe), a dos Abácidas (Império Muçulmano) e a dos Fatímidas (o Reino do Egito).

A expansão do islamismo

Nenhuma das grandes religiões universais conheceu uma expansão tão acelerada como o islamismo. Tendo como berço geográfico a Península Arábica, mais precisamente a cidade de Meca, já no final do século VII havia conquistado ou convertido a maior parte das cidades do Oriente Médio, delas expulsando facilmente o domínio do decadente império cristão-bizantino. Em 711, o general Tárik, chefe de tribos berberes do norte da África, desembarcou no sul da Península Ibérica, dando início à submissão dos reinos cristão da Espanha e de Portugal. Os berberes só não conseguiram tomar a França porque foram derrotados na batalha de Poitiers, em 732, por Carlos Martel, o prefeito do palácio da monarquia merovíngia, avô de Carlos Magno e considerado segundo fundador do Império Franco. Detidos ao Ocidente, o fluxo e a energia islâmica voltaram-se então para os lados do Oriente. Em 751, um exército árabe derrotou os chineses no Turquestão, lá implantando a bandeira do Profeta (verde com a lua crescente em seu meio). Outra onda de expansão partiu de Bagdá, na Mesopotâmia, e, atravessando o Golfo Pérsico, alastrou-se em direção ao Irã, ao Afeganistão e ao norte da Índia.

Dali, retomando forças, deslocou-se para a Malásia, para a Indonésia, chegando até a ilha de Mindanao, no sul das Filipinas. Em apenas quatro séculos, de 650 a 1050, considerados a Idade de Ouro do Islã, uma impressionante extensão de terra, com milhões de habitantes, convertera-se à religião do Profeta Maomé.

A reação ao islamismo

A atomização do grande império muçulmano – tão universal como fora o Império Romano no seu tempo – em vários califados e emirados é atribuída a uma contradição típica dos povos nômades. Sendo os árabes gente do deserto, vagando de um lado para o outro sem nenhuma tradição burocrática, as tribos que formavam a massa das tropas islâmicas dessa primeira fase, se bem que vocacionadas para a guerra de conquista, terminaram por debilitar-se ao dominar os povos sedentários. Nasceram para viver em tendas no deserto e não em fortificações nas cidades. Além disso, os califas não conseguiram manter uma unidade de comunicações, como as estradas e as rotas navais dos romanos, nem tiveram sucesso em criar uma burocracia universal que servisse como elo de ligação entre o todo e as partes, como, por exemplo, os mandarins no Império da China. Com o passar do tempo, as províncias (Córdoba, na Espanha, Damasco, na Síria, Bagdá, no Iraque) formaram califados independentes, enfraquecendo o império. Mas isso deu-se no campo da política, porque, no que toca à religião, o islamismo, tendo por base a Mesquita e o Corão, continuou ativíssimo e altamente sedutor, convertendo milhares de homens e mulheres à fé do Profeta, atuando em um arco que se estendeu do oceano Atlântico até o mar da China, do Sudão, no coração da África Negra, até as estepes asiáticas da Eurásia.

6
Bagdá, a cidade que já foi Luz

Bagdá, a atual capital do Iraque derrotado, ao ter boa parte da sua infra-estrutura urbana destruída pelos bombardeios sofridos durante as guerras do Golfo (provocados pela aviação iraniana e depois pela anglo-americana, entre 1987 e 1991, e novamente em 2003), ficou isolada de quase todo o mundo. Mas em tempos passados sua situação foi muito diferente. Construída pelas energias da fé islâmica, ela foi a primeira cidade planejada pela nova religião com a clara função de ser uma catapulta para que a palavra de Maomé fosse lançada para alcançar as terras da Índia e da Ásia. Por volta do ano de 140 do calendário muçulmano (762 pelo calendário cristão), o califa Al-Mansur contratou dois renomados astrônomos, um persa e outro judeu, para que projetassem a nova capital do seu império. Ele era o segundo governante da recém-implantada dinastia dos abácidas que, em 750 d. C., depois de rebelar-se contra o ramo omíada* da família do Profeta, manifestou a idéia de construir uma cidade que expressasse o vigor do islamismo renovado. Em pouco tempo apresentaram-lhe o grande projeto: tratava-se de uma urbanização circular cujas portas principais voltavam-se para os quatro cantos do mundo. O nome a ser dado para a nova cidade era Madinat Al-Salãm, a Cidade da Paz, e seria construída onde outrora ficava a aldeia de Bagdá. Situada nas margens do rio Tigre, justamente no ponto em que este mais se aproxima do seu rio irmão, o Eufrates, a posição geográfi-

---

*Dinastia de califas que governou o império muçulmano de 661 a 750, quando, derrotada por outra linhagem, transferiu-se para a Espanha. (N. do A.)

ca da aldeia era exemplar. De Bagdá era possível vigiar as férteis terras do norte do Iraque, dominar o desaguar dos rios no Golfo Pérsico, controlar o Chatt-el-Arab, bem como o porto de Basra, situado a 400 quilômetros ao sul da capital.

A plataforma para o Oriente

O deslocamento da capital do Império Árabe de Damasco (atual capital da Síria) para Bagdá, ocorrido em 762, não se deveu apenas aos califas Omíadas terem se tornado licenciosos e relapsos, como diziam os registros da época. O que de fato ocorreu é que o movimento de expansão muçulmana para o Ocidente, depois de anexar as terras do norte da África e da Península Ibérica, foi detido ao sul da França, em 732. Os mouros, derrotados pelos francos, confinaram-se então exclusivamente às áreas espanholas, de onde só saíram pela pressão militar dos reis cristãos.

Detidos no Ocidente, o impulso voltou-se naturalmente para a Ásia Central e a Índia. Em pouco tempo, os califas de Bagdá adonaram-se do Golfo Pérsico, levando o Corão para o Paquistão, para a Indonésia e para o Mindanao (as atuais Ilhas Filipinas), chegando até a estabelecer uma próspera colônia árabe na cidade chinesa de Cantão.

A fundação da Casa da Sabedoria

Sentindo a necessidade de enriquecer o Islã com a sabedoria de outras culturas, especialmente a persa e a grega, os califas de Bagdá transformaram a cidade em um extraordinário centro cultural, uma verdadeira luz do Oriente. Em 832, Al-Mamum criou a *Bayt al-Hikma*, a Casa da Sabedoria, que, segundo os registros, foi uma das primeiras instituições especializadas em traduções. Foram convidados para tal nobre ofício sábios de fé diversa da muçulmana, como o cristão-árabe Hunayn Ibn Ishãq, que legou ao mundo da cultura uma verdadeira dinastia de tradutores, vertendo obras do grego tanto para o siríaco como para o árabe. Dessa maneira, preservaram-se os principais trabalhos de Aristóteles, de Platão, de Galeno, de Hipócrates, de Euclides ou ainda do alexandrino Ptolomeu. Enquanto a cultura grega era anatematizada pelos padres da Igreja cristã medieval, por ser pagã, ela era honrada e cultivada pelos homens sábios de Bagdá.

Bagdá, um centro de saber

Em pouco tempo a cidade tornou-se o foco de uma interminável peregrinação de estudantes que vinham de todas as partes do Islã para sentar-se próximos aos *faylasuf*, os filósofos, a fim de beber-lhes a ciência. O saber deles era enciclopédico; homens como Al-Kindi (796-899) e Al-Farabi (870-950) podem ser considerados os fundadores de um conhecimento verdadeiramente universal, enquanto Ibn Kaldun consagrou-se na história e Al-Khwarizmi introduzia o conceito de álgebra na matemática. Apesar de os sábios de Bagdá forjarem toda a terminologia técnica da *Kalam*, a teologia islâmica, eles sofreram acirrada oposição dos fundamentalistas daqueles tempos, tal como Ibn Hanbal, um reacionário que rejeitava todas as descobertas da ciência exata e da especulação filosófica por considerá-las heréticas e próximas do ateísmo.

Entretanto, os trabalhos da Casa da Sabedoria continuaram e serviram de base para que, em 1066, o vizir persa Nizam al-Mulk fundasse a primeira universidade árabe, que recebeu o nome de Nizamya.

Desejoso de tornar seu califado de Córdoba, na Espanha, cada vez mais autônomo, o governante omíada Abdur-Raman II determinou que se adquirisse em Bagdá tudo que fosse referente à ciência grega e árabe. Pouco tempo depois, em 1085, quando da reconquista de Toledo pelos cristãos, também em Córdoba foi instituída uma oficina de tradutores que passaram a verter os textos árabes para o latim, redescobrindo os sábios gregos para a Europa. Outra porta para a cultura greco-árabe abriu-se pela iniciativa do Imperador do Sacro Império, Frederico II, que fundou a Universidade de Nápoles em 1224, estimulando todo tipo de tradução para o latim. O mais belo fruto da academia napolitana foi São Tomás de Aquino, que estudou naquela cidade italiana até 1243 e que não apenas lutou para que Aristóteles fosse aceito nos círculos universitários e teológicos europeus, como realizou a mais poderosa construção intelectual do Medievo Ocidental ao escrever a *Summa Theologica*, obra de nítida inspiração no rigor árabe que trata da natureza de Deus, dando corpo à visão cristã do mundo.

Dessa forma, a sabedoria e ciência árabes – que impulsionaram a cultura ocidental nos tempos obscuros da escolástica cristã, ocasião em que a Europa vivia em um vale de sombras –, tão dinamizadas pelos califas de Bagdá, foram as responsáveis, ainda que indiretas, pelas descobertas de Copérnico, de Kepler e de Galileu, os pioneiros da moderna ciência. Porém, o ódio teológico que tem separado cristãos e muçulmanos durante esses últimos séculos impediu que o Ocidente reconhecesse os méritos da civilização maometana.

7
O saque de Bagdá

Começou então o saque de Bagdá/ Magníficas mesquitas/ Imensas bibliotecas da literatura persa e árabe/ A maior universidade do mundo/ Palácios, palácios, palácios/ queimados e os homens assassinados/ Mulheres e crianças levadas para Caracorum como escravas.

Douglas Clark – *Hulagu's Ride* – 1996

Que o califa Al-Mustazim se despreocupasse. Deixasse de andar com aquele ar preocupado e com o cenho franzido. O ministro Ibn-al-Alkami assegurou-lhe que o perigo não era tão ameaçador assim. A notícia de que a grande horda mongol, conduzida por Hulagu Cã, um dos netos de Gêngis Cã, "O Senhor do Mundo", se aproximava da Mesopotâmia não deveria inquietar ninguém. Além disso, lembrou-lhe o cortesão, o Mundo Sunita, um colosso de fé e geografia que se estendia do Paquistão até o reino do Marrocos, nas margens do Atlântico, não iria permitir que Bagdá sucumbisse. Ponderou ele que a soberba cidade era a jóia do Islã e que, seguramente, uma muralha de irmãos muçulmanos, com escudos e afiadas cimitarras, deteria aquele bárbaro pagão, mantendo-o bem longe do rio Tigre.

Como se fora uma nuvem de gafanhotos, a massa de cavaleiros mongóis, em seus ágeis pôneis pretos, deslocando-se como o vento desde Samarcã, saltando do planalto iraniano, esparramou-se sobre as terras da antiga Babilônia, de Ur e Assur, levando tudo de roldão. A primeira façanha do comandante Ked-Buqa, líder da vanguarda de Hulagu, cometida ainda nas terras do Irã, foi tomar de assalto, em 1255, o que parecia impossível: tomou e destruiu o quartel-general da Ordem dos Assassinos*, encravado nos altos dos montes Elbuz (feito dos mongóis que o historiador Edward Gibbon, autor de *Declínio e Queda do Império Romano,* de 1776-88, certa vez considerou como "um serviço prestado à humanidade"). Tais montes eram o Ninho da Águia dos *nizans*, os seguidores do Velho da Montanha, que viviam na fortaleza de Alamut, de onde saíam encapuçados, armados de punhais e embalados por doses de haxixe para aterrorizar meio mundo .

Bagdá, construída em 762, capital do Califado Abácida, ficou no desamparo frente ao invasor mongol. Com seus dois milhões de habitantes e seus belos palácios, era o orgulho do Crescente. O califa, o Comandante dos Crentes – um débil –, rogou por uma trégua da horda que vinha do Oriente, que Hulagu negociasse com ele pelo menos algum tipo de tratado de paz que salvasse Bagdá dos horrores de um assalto. Tudo inútil. Em fevereiro de 1258, o príncipe mongol, sem ter ninguém que o detivesse, nenhuma guarnição disposta ao último sacrifício, entrou triunfante pelos portões da cidade.

Já que desejava seguir em frente depois de submeter Bagdá, subir em direção à Síria e à Palestina "para alcançar as fronteiras do Egito", como o Grande Cã de Pequim ordenara, não queria deixar na retaguarda aquela enorme concentração de gente. Hulagu calculou que, quando vissem o seu exército rumando para a estrada para Damasco, era certo que se rebelariam.

Ardiloso, o príncipe mongol agiu então com a astúcia de um caçador das estepes. Para não despertar suspeitas das suas reais e tenebrosas intenções, convidou a família do califa, inclusive suas concubinas, para uma grande recepção no palácio recém-ocupado por ele. Feitos os brindes e terminada a ceia, a um sinal dado por Hulagu, a guarda pessoal do conquistador entrou em cena, mantendo um clima amigável. Amarrados e costurados

* Sobre a Ordem dos Assassinos, ver capítulo 11. (N. do A.)

um por um em belos tapetes persas, os convivas foram arrastados até o chão do pátio, onde um destacamento de cavaleiros os aguardava. O hospedeiro, em um repente, tornara-se um carrasco. E deste modo traiçoeiro, infame e cruel, esmagada pelos cascos dos potros mongóis, chegou ao fim a Casa de Abbas, após ter reinado por cinco séculos em Bagdá. O ministro al-Alkami, uma alma colaboracionista que facilitou a ocupação, foi mantido no posto.

Enquanto isso se dava no palácio real, pelotões incendiários percorriam as ruas de Bagdá saqueando e pondo fogo em tudo. Nada, nem as estupendas mesquitas, nem as escolas, nem as casas da sabedoria, nem os hospitais ou os palácios, foi poupado ou deixado para trás pela soldadesca mongol em fúria. Os civis, arrebanhados como gado, uns cem mil deles, foram empurrados para a beira do rio e durante dias e dias os invasores os fizeram sangrar até a morte. As mulheres e os filhos das vítimas, tornados escravos, agrilhoados, padeceram em uma jornada infernal, carregados à força até os fundões da Mongólia, para Caracorum, a capital de Gêngis Cã, para que Hulagu os exibisse aos parentes e ao seu irmão, Mongke Cã.

Nos anos seguintes à catástrofe do século XIII, com o caminho aberto pelo mongol, levas de tribos vindas da Turcomênia – gente nômade, sem domínio ou conhecimento da lavoura –, por ignorância ou desleixo, destruiu todo o sistema de irrigação que a Mesopotâmia tinha desde idades imemoriais. Bagdá, em ruínas, transformada em miserável relíquia do antigo esplendor árabe, restou habitada por bem poucos sobreviventes, espectros das vítimas de Hulagu.

Aproveitando-se disso, turbas de beduínos do deserto começaram a assediá-la para rapinar o que sobrara. Nos séculos seguintes, tornada província do Incã da Pérsia (1260-1340), de onde a dinastia mongol reinava, o Iraque e sua metrópole mergulharam nas sombras do esquecimento.

Centro do fluxo comercial entre o Oriente e o Ocidente, Bagdá feneceu. Dali em diante, novas rotas foram abertas pelos mercadores: ao Norte, pela Turquia, e ao Leste, pelo Mar Vermelho e pela Alexandria. A cidade voltou à vida recentemente, sete séculos depois, com os ganhos do petróleo, apenas para se tornar novamente vítima da política colonialista do império anglo-saxão.

8
Maomé no Paquistão

A Índia, com uma intelligentsia *que cresce aos saltos e a passos largos, se expande em todas as direções. O Paquistão, exaltando a fé, e sempre e somente exaltando a fé, encolhe mais e mais.*

V. S. Naipul – *Além da fé, 1998*

Guerras de conquistas começam por motivos banais. O fato de, séculos atrás, Raja Dahir, o rei hindu do Sind (atual Paquistão), ter-se negado a punir uns piratas que haviam seqüestrado um grupo de muçulmanos, naufragados no seu território, foi o suficiente para desencadear o primeiro conflito grave entre árabes e indianos. O califa omeída de Bagdá, tomando as dores dos seus irmãos de fé injuriados pelos bandidos hindus, ordenou então ao jovem general árabe Mohammad Bin Qasim, de apenas 19 anos, que partisse de Basra, no atual Iraque, e marchasse com 25 mil homens em direção ao Sind.

No mesmo ano, o de 711, em que o general muçulmano Tárik iniciava a conquista da Península Ibérica, esse outro comandante maometano, Qasim, desembarcava com suas enormes catapultas de guerra nas proximidades do Paquistão, no extremo oriente do império islâmico. A sua campanha foi fulminante. Nunca os indianos viram uma artilharia como aquela, capaz de, em pouco tempo, arrasar com qualquer muralha que encontrasse pela frente. Em 712, o Raja Dahir capitulou, e o Sind tornou-se então, há treze séculos, passados, a primeira parte da Índia a converterse à fé do Profeta.

As entrevistas de Naipul

Entende-se, pois, uma certa impaciência e irritação demonstradas pelo escritor nascido em Trinidad e Tobago mas criado na Índia V. S. Naipul, vencedor do Prêmio Nobel de Literatura de 2001, quando, em uma da suas viagens de visita ao Oriente, entrevistou algumas eminentes lideranças muçulmanas do Paquistão atual. Uma das entrevistas deu-se com Khalid Ishaq, dono de uma grande banca de advogados em Karachi. Ele revelou a Naipul que as massas muçulmanas, apesar de admirarem a organização e as conquistas tecnólogicas e saberem-se materialmente dependentes dos estrangeiros mais desenvolvidos, sofriam de uma "rejeição emocional ao Ocidente". E isso sem que, por outro lado, para superar o Ocidente, colocassem outra coisa no seu lugar que não uma nebulosa "experiência islâmica" – segundo o próprio escritor observou *in loco.* Naipul teve que conter a sua exasperação. Os atuais integrantes da elite do Paquistão professavam a religião do Crescente há séculos, mas não tinham a mínima idéia do que era "um Estado islâmico", nem o que fazer com ele no mundo moderno.

O que sobrava daquela propaganda religiosa que ele via em todos os lugares era um conjunto de proibições: não beber, reprimir a lascívia feminina e, pasmem, nada de juros bancários. Ishaq era membro do Conselho de Ideologia Islâmica, que visava modelar as instituições existentes de acordo com o Corão, mas ele mesmo revelou a imprecisão dos seus objetivos, a não ser estudar uma proposta de todos os paquistaneses se vestirem igual e usarem o mesmo tipo de automóvel (sic)!

Em outra entrevisa, Naipul conversou com um tal de Ahmed, um homem decepcionado com as coisas do Paquistão, dizendo-lhe: "Todo mundo aqui engana todo mundo. Políticos, funcionários públicos, todos". Lamentou ele que o seu país fosse construído em cima do medo e do ódio.

Fundando o Paquistão

Em 1947, os muçulmanos da Índia – bem menos de 10% da população –, temerosos de serem engolidos por aquele mar de hindus, insistiram em ter um país próprio. A idéia foi originalmente defendida nas terras do antigo Sind (a primeira área do subcontinente indiano a ser islamizada), em 1930, pelo poeta A. Mohammed Iqbal, cognominado Muffakir do Paquistão (o filósofo do Paquistão), um homem que estudara na Inglaterra e na Alemanha. A proposta foi aceita por Gandhi (que pagou com a vida por isso, sendo assassinado em 1948), e nasceu o Paquistão, pela insistência do seu "pai fundador", Mohammed Ali Jinnah, como um refúgio para gente desesperada que emigrava em massa do Norte da Índia. Nunca os dois países se entenderam. Para piorar a situação, a questão de Caxemira (população muçulmana, governo hindu) tornou-se uma permanente dor de cabeça para paquistaneses e indianos.

A ideologia islâmica

Enquanto isso, uma nação muçulmana que se formava no Paquistão, composta por indianos desgarrados, sem raízes, vindos de diversos cantos da Índia, com suas estruturas clânicas desmanteladas e seus costumes tribais abandonados, viu-se presa fácil dos mulás e dos militares. A Índia, por sua vez, consegue manter-se, ainda que formalmente, nos quadros de um regime tolerante, aceitando democraticamente a rotatividade dos partidos políticos no poder, o Paquistão é comandado por um entra e sai de generais muçulmanos que, um após o outro, colocam-se como os defensores da fé. O islamismo é para eles o que o anticomunismo foi durante muitos anos para os generais latino-americanos: uma ideologia de afirmação do poder corporativo deles sobre o restante de uma sociedade eternamente fragilizada pela pobreza e pelo desacerto.

9
Maomé e Carlos Magno

No ano da sua morte, em 1935, o historiador belga Henri Pirenne deixou para ser publicada uma tese que faria história. Tratava-se de *Maomé e Carlos Magno*, livro que causou polêmica porque seu autor contestou a idéia de que o mundo antigo havia sido destruído pelas invasões bárbaras dos séculos V e VI, como até então aparecia em todos os compêndios de história ocidental. Para ele, a ruptura com o passado romano deu-se com a expansão do Islã, entre 650-750: explica-se Carlos Magno por meio de Maomé.

O Profeta faleceu no ano de 632, em Meca. Fundara uma nova religião, o islamismo, e uma nova concepção de Estado, na qual todos se submeteriam ao Único, a Alá. Durante sua vida, foi conhecido apenas na Península Arábica, lugar até então periférico e desimportante aos olhos dos dois impérios que circundavam a região, o Império Bizantino (da dinastia Romania) e o Império Persa (dinastia Sassânida). Eis que, num repente, aquele mundo deserto, povoado por tribos nômades, entrou em erupção. Dois anos depois da morte de Maomé, seus seguidores haviam conquistado a fortaleza bizantina de Bothra, em 634. A cidade de Damasco caiu-lhes nas mãos em 635, enquanto a batalha de Yarmouk, travada em 636, permitiu-lhes destroçar o Limes Sírio, erguido pelos romanos, proporcionando-lhes o domínio da Síria inteira. A vez de Jerusalém logo chegou: a bandeira verde do Crescente tremulou no alto do Domo da Rocha, em 637. A hora da Mesopotâmia e da Pérsia ocorreu no ano de 638, enquanto que a de Alexandria, no Egito, deu-se em 641. Em menos de dez anos, a nova fé – um elixir energético para as tribos beduínas –, totalmente desconhecida dos demais povos do Oriente Médio, expandira-se para todos os lados vitoriosamente.

Um moto-contínuo

Na época do califa Moawiah (a partir do ano de 660), a expansão adquiriu novo fôlego. A bacia do mar Egeu foi assaltada pelas esquadras árabes. As ilhas de Chipre, de Rodes e de Creta logo sucumbiram. Mais ao Ocidente, foi a vez da Sicília ser atacada, enquanto Cartago rendeu-se definitivamente em 698. Em alguns anos, o islamismo soterrou a religião de Zoroastro e expulsou o cristianismo oriental para as margens do estreito de Bósforo, confinando-o à região de Constantinopla (se bem que pequenas comunidades cristãs, como a dos coptas, no Egito, e a dos nestorianos, na Síria e na Pérsia, ainda conseguissem sobreviver dentro do Islã). Se os impérios mongóis de Gêngis Cã e de Tamerlão também conheceram uma espantosa expansão séculos depois, nenhum deles conseguiu conjugar a rapidez com a permanência como ocorreu com o império muçulmano. O Islã agia como um moto-contínuo, sempre em busca de novas terras, alargando as fronteiras, implantando mesquitas, levando o Corão para os cantos inauditos da Terra.

Germanos e árabes

A tese de Henri Pirenne, um emérito professor da Universidade de Gent, na Bélgica, sobre Maomé e Carlos Magno é de que foram os árabes islamizados que realmente provocaram, com suas impressionantes e surpreendentes conquistas, a ruptura com o mundo antigo romano. Portanto, para ele, a invasão dos bárbaros vindos da Germânia não fizera os estragos que se imaginava, como asseguravam os grandes historiadores como Edward Gibbon. Os germanos não alteraram a religião existente na Romania. Não tinham nada de mais poderoso, no terreno da fé, para opor ao cristianismo. Nem suas leis, nem suas instituições eram melhores ou mais adequadas do que as do império romano. Até mesmo a língua de Roma os chefes germanos mais instruídos trataram de cultivar, mantendo o latim como a escrita culta e fala diplomática. Portanto, os germanos se romanizaram, se cristianizaram. Bem ao contrário dos árabes seguidores do Profeta.

O domínio árabe

Embriagados pela nova fé e pela rapidez com que muitos povos se converteram ao Islã, sem que para isso fossem constrangidos pela força, a entrada dos árabes no mundo da Romania e da Pérsia não se traduziu na adesão à religião e às instituições vigentes nas terras conquistadas, no caso, o cristianismo e o zoroastrismo. Ao contrário, os muçulmanos aferraram-se ainda mais na sua crença em Alá. Só fizeram concessões a certas práticas administrativas das regiões conquistadas. Habituados à vida nômade, desconheciam as normas e costumes das sociedades sedentárias que passaram a dominar e a conduzir. Os árabes, enfim, ao adentrarem no mundo romano, continuaram sendo árabes, seguiram sendo muçulmanos, não se romanizaram e muito menos aderiram à fé em Cristo.

Em geral, a relação deles com a religião dos povos dominados era de indiferença, quando não de aberto desprezo. Mas isso não se traduziu em perseguição religiosa. Cristãos e judeus eram vistos como *ahl al-Kitab*, o "Povo do Livro", seguidores da Bíblia e do Talmude, descendentes, como os árabes, do mitológico patriarca Abraão (Moisés, ligado à tradição abraâmica, trouxe a Palavra aos judeus; Jesus a difundiu em meio aos gentios, enquanto Maomé, o último dos profetas, fez o mesmo com as tribos árabes). Aos cristãos e judeus, os califas e emires reservaram a *Dhima*, um estatuto de proteção dado pelo Islã para que eles não sofressem opressão. Desde que pagassem a *jizya*, o imposto sobre o culto, e a *kharay*, o imposto sobre a propriedade, o Povo do Livro era deixado em paz. Não havia da parte das autoridades muçulmanas nenhuma política de conversão forçada, como comumente acontecia nos reinos cristãos.

A ocupação da Península Ibérica

Um desentendimento entre o rei espanhol e seu usurpador – entre Vitiza, rei de Toledo, e Rodrigo, o duque visigodo que o matou – precipitou a conquista árabe da Península Ibérica. Exilado na corte de Marrocos, Achila, filho do monarca destronado, estimulou os muçulmanos a que atacassem a Espanha, em troca da recuperação da coroa de Toledo. Em 711, o general Abu Zora Tárik, obediente às ordens de Musa, emir do Magrebe, levou uma força estimada em sete mil homens até o pé do grande rochedo que recebeu o seu nome (Gebel-Tárik). Não teve dificuldade em submeter facilmente as tropas do rei local na batalha de Gaudalete, abrindo assim as portas do restante da península à conquista islâmica. Seguindo o princípio – diziam que do califa Omar – que pregava "Cumpre-nos devorar os cristãos, e aos nosso descendentes, os descendentes deles, enquanto houver cristianismo", o emir da Espanha Abd-er-Rhaman atravessou os Pirineus e lançou-se sobre o sul da França (Provence e Aquitânia) até ser detido e batido pelos francos de Carlos Martel, na histórica batalha de Poitiers, travada no ano de 732. A invasão árabe trouxe conseqüências políticas quase que imediatas para a cristandade.

Pela primeira vez desde que o Império Romano se convertera à doutrina de Jesus, no século IV, uma religião estranha, abertamente hostil à Cristandade, firmava o pé no continente europeu. A conquista da Ibéria, somada ao domínio da costa africana do mediterrâneo, permitiu aos seguidores dessa religião fazer do Mediterrâneo ocidental "um lago árabe", como preferiu dizer Henri Pirenne. De imediato, dois reinos cristãos desabaram: o reino visigodo da Espanha desapareceu soterrado pelo afã do Crescente, enquanto a dinastia dos merovíngeos na França foi destituída do poder em 751, pelo próprio prefeito do palácio, Pepino, o breve, com as bênçãos do papa Zacarias, vista a completa inanição dos monarcas daquela casa em reagirem eficazmente frente à invasão dos mouros. Por último, a presença ameaçadora do Islã obrigou o papado a buscar proteção junto ao reino dos carolíngeos (substitutos dos fracos monarcas merovíngeos), estimulando a restauração do Império Romano do Ocidente, fazendo com que Carlos Magno fosse coroado em Roma, no ano de 800, como o novo imperador do Ocidente.

Carlos Magno e os mouros

Herdeiro de uma família que ascendera ao trono dos francos justamente por combater os mouros, Carlos Magno não traiu aos seus. Continuou movendo uma luta tenaz contra o Islã. Em 778, estava em frente a Saragoça, onde fracassou em tentar tomar o sítio dos mouros. Obrigado a retirar-se da Espanha, sua retaguarda foi dizimada em Roncesvales, onde caiu morto seu sobrinho favorito, o bravo Rolando, cujo destemor frente ao inimigo deu ensejo ao surgimento do primeiro canto épico dos francos, *A canção de Rolando* (*La Chanson de Roland*). Se Carlos Magno recebeu o trono de Pepino, o breve, para continuar na luta contra o Islã, ele viria a ampliar ainda mais o seu reino, quando o papa o coroou Imperador do Ocidente em Roma, no ano 800, para melhor lutar contra o Crescente. Logo, o poder de Carlos Magno deve-se a Maomé! Aachen, a capital dos carolíngeos (atual cidade alemã), surgiu como reação a Meca, a capital do Profeta.

Em resposta ao desastre da expedição dos francos à Ibéria, Luís, rei da Aquitânia, filho de Carlos Magno, tomou Barcelona, em 801, e Tortosa, em 811. Mas o seu pai, o imperador carolíngeo, estava impedido de tirar proveito dos seus sucessos terrestres por não ter uma boa esquadra que lhe permitisse se afirmar nos portos mediterrâneos. As suas tentativas de resgatar as ilhas da Córsega e da Sardenha para a cristandade fracassaram. Carlos Magno e seus herdeiros foram obrigados a aferrar-se a um sistema defensivo, pois nenhum barco cristão navegava tranqüilo no "lago árabe" em que se transformara o Mediterrâneo. Sintoma dessa "volta da Europa para dentro de si mesma", como assinalou Pirenne, foi o desenvolvimento de um sofisticado sistema interno de canais que percorria todo o interior da França, ligando a bacia do Ródano, ao Sul, à embocadura do rio Reno, no Norte, e permitindo o fluxo de barcaças de transporte entre os extremos do império.

A grande fenda

A conquista de boa parte do Mediterrâneo, alcançada pelos muçulmanos entre 650 e 750, provocou o surgimento da "grande fenda", isto é, da irreparável separação das duas margens do antigo *Mare Nostrum* dos romanos. Na sua costa norte, ficaram os enfraquecidos reinos cristãos, enquanto nas suas praias do sul reinavam os poderosos califados muçulmanos. O Mediterrâneo – que até então agira como um fator de sincretismo cultural e via comercial comum a todos – tornou-se uma fronteira de dois mundos hostis. A sua unidade foi quebrada para sempre, tornando-se desde aquela época a fronteira de duas civilizações diferentes e inimigas. Além disso, o horizonte econômico dos europeus encolheu-se: as cidades comerciais estagnaram, a produção reduziu-se ao consumo local, e o particularismo acirrou-se, esvaziando a autoridade dos reis em favor dos barões e dos duques. O feudo vitoriou-se sobre o reino, o barão sobre o monarca. A bandeira do Crescente, tremulando nas fortalezas mouras da Ibéria e nos mastros dos barcos árabes do Mediterrâneo, lançara uma sombra pessimista sobre a Europa.

Foi essa presença muçulmana, exercendo uma pressão intermitente sobre o papado (no ano de 878 o papa concordou em pagar uma taxa anual aos mouros no valor de 20 mil mancusi de prata, para que Roma não fosse assaltada nem pilhada por eles), que fez com que se inviabilizasse qualquer tentativa de restauração do Império Romano a partir de Roma mesmo. Assustadas com a presença dos mouros no sul, as forças políticas da Europa só podiam organizar-se mais ao norte, primeiro com o Império Carolíngeo na França, depois com o Sacro Império Romano-Germano com sede na Alemanha. O eixo do poder político europeu deslocou-se definitivamente das margens do Mediterrâneo para aquela outra parte formada pela bacia do Sena, o vale do Reno e o canal da Mancha.

Portanto, as invasões germânicas, segundo o historiador, não puseram fim à unidade mediterrânea do mundo antigo, nem fizeram tanto dano à cultura romana no seu essencial. Há, para ele, uma espécie de continuidade histórica que se prolonga para bem mais além do que os séculos das invasões, o V e o VI. Até aquela época, a civilização concentrava-se no Mediterrâneo. Era das margens daquele mar interior que partiam as novidades para depois se irradiarem para o restante da Europa. Assim deu-se com o cristianismo, vindo das beiras orientais do Mediterrâneo, e com tantas outras coisas mais.

Deste modo, a verdadeira ruptura com a tradição histórica antiga teve por instrumento o rápido e imprevisto avanço do Islã, separando definitivamente o Oriente do Ocidente, pondo fim à unidade do Mediterrâneo conservada pelos romanos desde as guerra púnicas do século II a. C., façanha alcançada pelos césares que durou quase mil anos. O antigo *Mare Nostrum*, devido à emergência de uma nova religião, radicalmente monoteísta, deixou de ser uma via de trocas e de idéias. O Ocidente encolheu-se, voltou-se sobre si mesmo, fechou-se nos seus fortins, com a nobreza buscando a proteção nos castelos. O eixo da história abandonou as margens do Mediterrâneo em caráter definitivo, repelido que foi em direção ao norte do continente europeu, constrangendo o Papado a buscar proteção junto aos imperadores bárbaros. O novo império de Carlos Magno – sagrado no ano 800 – acirrou a separação entre Ocidente e Oriente, afirmando a emergência de um Novo Império Romano, fazendo com que o mundo antigo ainda continuasse representado por Constantinopla. Por conseguinte, Pirenne estendeu a crise da ruptura com a Antiguidade dos anos 300 a 600, como comumente é apresentado, para um período posterior: o que vai de 650 a 750. Quem acabou com o mundo antigo não foi a espada do bárbaro saído das florestas da Germânia, mas a expansão da fé no profeta Maomé.

10

O Santo Massacre

Pelas muralhas e portas, derrubando, destruindo ou prendendo fogo no que se lhe opunha, o exército vencedor penetra então na cidade. O ferro semeia por todas as partes a desolação e a morte, o luto e o horror, suas companheiras. O sangue forma lagos ou corre em arroios que arrastam no seu curso cadáveres e moribundos.

Torquato Tasso – *Jerusalém Libertada,* Canto XVIII, 1575

"*Insondáveis são os desígnios do Senhor*!" Assim meditavam os cavaleiros cruzados na sua marcha pela Palestina em junho de 1099. Desde que saíram de Alepo, na Síria, em direção à Cidade Santa, só encontravam pelo caminho areia, pedras e chão árido, esturrado. O Jordão foi-lhes outra decepção. Cavaleiros viajados, como Godofredo, Tancredo e Boemondo, que conheciam os rios europeus, o Pó e o Danúbio, largos, fluentes, desiludiram-se ao ver a modéstia daquelas lodosas águas beatas. E, no entanto, fora nelas, dizia a Santa Escritura, que João Batista ungira Nosso Senhor Jesus Cristo. Na expedição vinham ainda, sob o comando dos barões, uns dez mil homens, tendo a fome e a sede como companheiras. Seria mesmo ali, intrigavam-se, que se dera a Encarnação?

Porém, o fato de ser aquele um lugar milagroso era confirmado pela existência de inúmeras capelinhas erguidas pelos peregrinos que, em devoção, homenageavam antiquíssimas relíquias. Em uma das capelas, pasmem, foi encontrada até mesmo uma lasca da arca de Noé! Mais espantados ficaram os cruzados quando lhes mostraram onde foram forjados os cravos que prenderam o Salvador na cruz! Cada uma daquelas pedras em seu caminho, asseguravam a eles, testemunhara uma profecia, cada entranha na rocha acolhera um Malaquias ou um Isaías. Não duvidavam mais: a Palestina era o berçário dos iluminados de Deus, aquela era sim a Terra Santa.

Avistando Jerusalém

Finalmente, ao avistarem Jerusalém no dia 7 de julho de 1099, um êxtase místico os acometeu. De joelhos, o povo, os soldados e os barões prostraram-se em frente dos seus muros. Lá dentro, alarmado com a chegada daqueles belicosos, o governador egípcio reforçou as defesas. Cidade escolada em assaltos e sítios, as muralhas de Jerusalém eram impressionantes, mas desta vez não deteriam a força da fé dos famintos de Deus. Pedro Eremita, líder da chusma cristã, sugeriu repetir o exemplo dado por Josué em Jericó. Que os cruzados derrubassem-nas a toques de corneta, enquanto evocavam o céu em piedosa procissão.

Descalços, em trajes de penitentes, com rosários e ladainhas, os cristãos fizeram várias voltas ao redor da cidade sob as vistas zombeteiras dos guardas muçulmanos que, do alto das seteiras, assistiam espantados àquela inútil rezaria. Nenhuma pedra rolou das muralhas, nem um tijolo gemeu.

O assalto à cidade santa

Os comandantes surpresos deram-se conta, então, de que faltava-lhes madeira para o assédio. Conseguiram-na vinda do litoral, graças à presteza de alguns marinheiros genoveses. Construíram então aríetes e torres. Rezando e praguejando, arrastaram-nos para as beiradas dos muros. O assalto final a Jerusalém deu-se no dia 15 de julho de 1099. Pretende-se que foi Boemondo o primeiro cristão a pôr os pés no alto do fortim. A guarda muçulmana, assustada, recuou. Debandou. À medida que se embarafustava

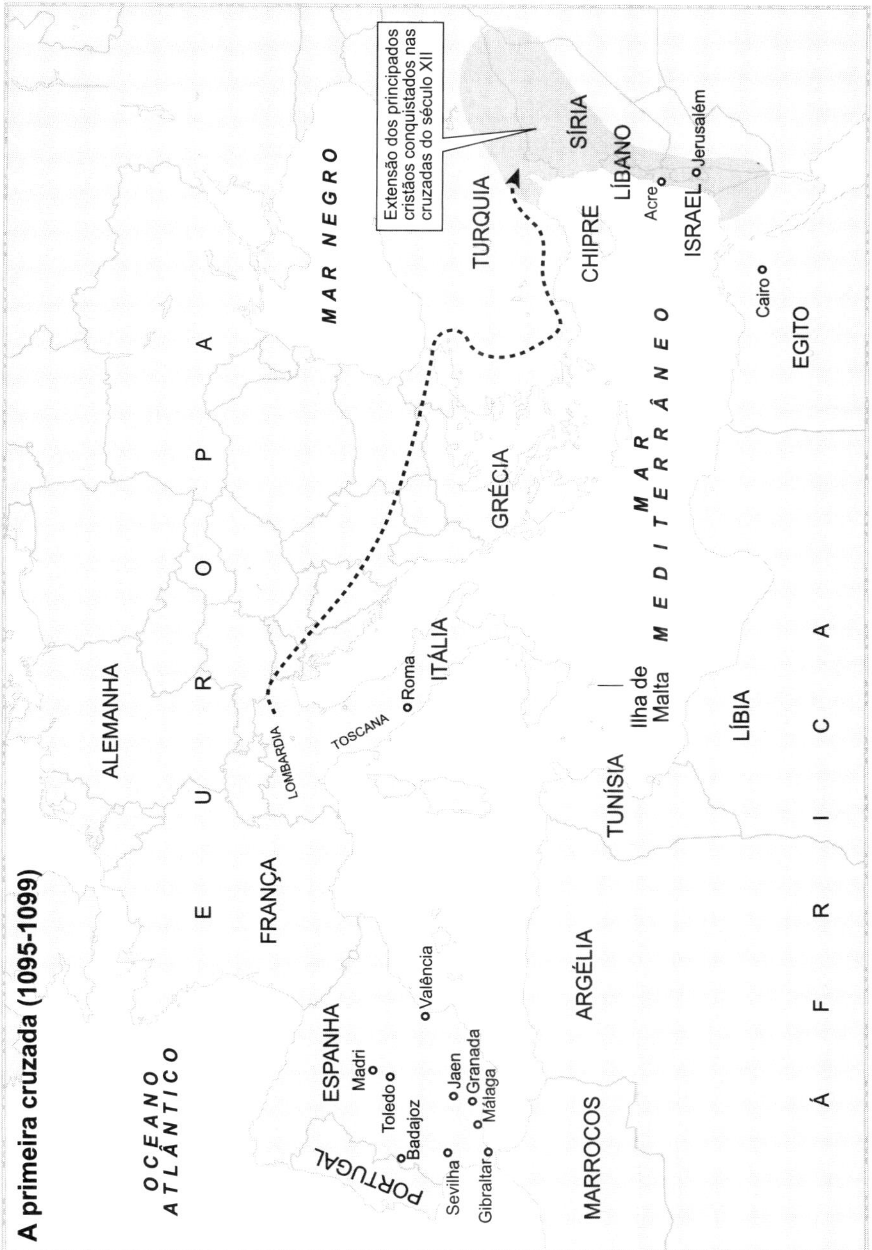

A primeira cruzada (1095-1099)

nas vielas que cercavam a mesquita de Omar e a sinagoga, a soldadesca cristã era tomada por um furor homicida.

Os pacíficos habitantes da cidade, judeus e muçulmanos, representavam para os soldados cristãos o demônio, a impureza, a profanação dos lugares santos. Não foram perdoados. Os árabes encontrados no pátio da Grande Mesquita foram exterminados a espadaços e a lançadas. Aos judeus, coube um destino pior: encerrados no Templo de Salomão, queimaram-nos vivos. Pouparam apenas a vida do governador egípcio Iftikhar ad-Dawla e as dos seus guardas, a quem Raymond de Saint-Gilles, um cavaleiro de cabelos brancos, que "desdenhava ser cruel com os fracos", jurara proteção. Até hoje os historiadores embaraçam-se com o número de vítimas que os cristãos fizeram em Jerusalém. Oscilam entre 6 mil e 40 mil mortos.

E nem se pôde responsabilizar os chefes pela matança. Os barões bem que tentaram conter a soldadesca, mas eles escaparam-lhes ao controle. Fanatizado, o cristão comum considerava-se um vingador celestial e virou um animal feroz a quem um estripamento, uma carótida esguichando ou a degola dos gentios pareciam uma justa revanche para os tormentos de Cristo. Quem respirasse era morto. Mataram inclusive os animais domésticos dos habitantes da cidade.

Alguns anos antes da catástrofe, o poeta árabe al-Maari, morto em 1057, separara os homens em dois grupos: "Os que têm cérebro, mas não têm religião/ E aqueles que têm religião, mas não têm cérebro". O Grande Massacre, ocorrido há 900 anos, além de ter azedado para sempre a relação entre os cristãos e os muçulmanos, permaneceu como um desses estúpidos altares sacrificiais erguidos pelos homens que têm religião, mas não têm cérebro.

11
A Ordem dos Assassinos

Durante 150 anos, entre o final do século XI e a metade do XIII, uma terrível seita ismaelita, minúscula no universo do Islã, trouxe temor e, por vezes, pânico à região do Oriente Médio. Tratava-se da Ordem dos Assassinos, assim chamada porque os seus integrantes, antes de praticar os atentados, inalavam um estupefaciente, o *hashishiyun*, o haxixe. Os seguidores da ordem caracterizavam-se pela total entrega à missão – geralmente suicida – que lhes era atribuída por seus superiores e por não demonstrarem medo nenhum perante a morte que fatalmente os aguardava, depois das ações terroristas.

O anúncio da ressurreição

Nada é verdade, tudo é permitido!

Hassan Sabbah

No ano de 1166, na praça central da fortaleza de Alamut, no alto dos montes Elburz, no norte do Irã, o grão-mestre dos nizarins (como a seita dissidente do Islã Ordem dos Assassinos chamava-se oficialmente), Hassan II, exultava frente aos companheiros e seguidores que ocupavam todo o espaço ao seu redor. Ele os convocara para um importante anúncio. Queria dizer-lhes que, enfim, aproximava-se o dia da *Qiyamat al Qiyamat*, a Ressurreição da Ressurreição: estavam muito perto do momento em que o imã oculto finalmente viria liderá-los na renovação de tudo, pondo fim àquela época, iniciada havia muito por Adão. Dali em diante, assegurou ele, não haveria mais liturgia, pois a religião se tornaria puramente espiritual, sem templos ou cultos. Que se preparassem, portanto, para os novos tempos, concentrando-se todos eles dentro da fortaleza de Alamut, um lugar inexpugnável, de onde só sairiam para realizar suas operações de assassinatos seletivos.

O profeta dos assassinos

A seita, obediente aos extremos rigores do militarismo, havia sido fundada no ano de 1090, quando o missionário ismaelita Hassan Sabbah (1034-1124), encarnação de Deus na Terra, retornara do Egito para a sua Pérsia nativa (ele nascera em Qom). Envolvido nas lutas pelo poder entre a casa real egípcia e a de Bagdá, ele decidira fundar uma ordem secreta para enfrentar os seus adversários. Para tanto, inspirou-se nos antigos rituais de iniciação adotados pelos gnósticos, com seu gosto pela ciência esotérica – a *batanya* – e pelo culto aos sinais secretos, que exigiam muita disciplina e dedicação ao estudo. Em pouco tempo, verificou-se que Hassan Sabbah, o xeque das montanhas, criara uma teologia totalitária segundo a qual um só deus (Alá) se fazia representar por um só imã (um líder espiritual) e por um só representante (o próprio Hassan), com autoridade de vida e morte sobre os seus seguidores. Tendo uma visão trágica do mundo, considerando-o perdidamente maculado pela heresia e pelo desacerto dos governantes, ele declarou guerra à religião oficial, o islamismo sunita, e também às dinastias que reinavam na região, fossem as de raiz árabe ou as turca seldjúcida*. Líder de uma seita absolutamente minoritária, Hassan Sabbah percebeu que somente poderia impor-se naquelas circunstâncias por meio do terror, colocando seus inimigos em permanente pavor de virem a ser assassinados. Ao apoiar um dos governantes chamado Nizan, sua seita passou a denominar-se a ordem dos nizarins.

*Denominação de várias dinastias turcas que reinaram nos séculos XI, XII e XIII sobre extensões da Ásia central e ocidental. (N. do A.)

A estrutura da ordem

Consta que Hassan Sabbah, além de um rigoroso exame de admissão dos iniciados, recolhia crianças abandonadas ou as comprava de casais miseráveis para fazer delas o seu exército de fiéis. Carentes de tudo, os jovens aspirantes nizarins viam-no com um deus-pai, dedicando-se integralmente à sua vontade, jamais ousando criticar uma ordem recebida sequer. Tratou também de cultivar uma soberba biblioteca, considerada uma das mais completas daquele tempo, não vendo nenhuma contradição na tentativa de harmonizar a alta cultura islâmica com a prática de assombrosos atentados terroristas. Ele gabava-se de ter à sua disposição 70 mil homens e mulheres espalhados por boa parte do Oriente Médio, capazes de executar qualquer missão por ele ordenada, mesmo que isso lhes custasse a vida. Sim, porque seus alvos não eram gente comum, mas vizires, sultões, xeques, mulás, ulemás, cavaleiros cruzados – qualquer pessoa importante que, aos olhos do grão-mestre dos assassinos, criasse impedimentos à sua política.

Organograma da Ordem

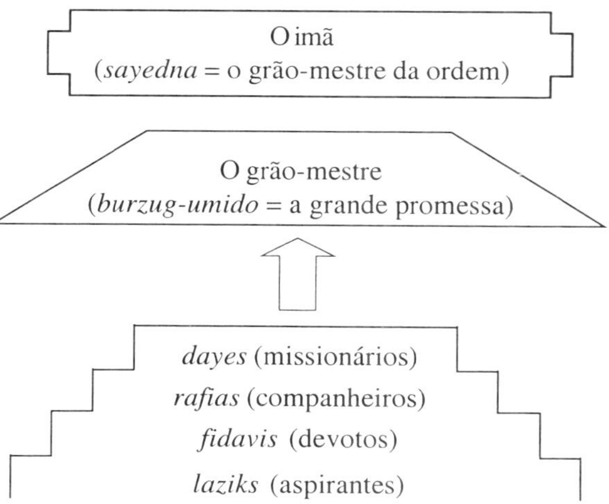

Nota: *o seguidor da Ordem devia necessariamente passar por sete degraus de iniciação: 1) saber selecionar os seus integrantes; 2) ganhar a confiança do aspirante; 3) suprimir-lhe as dúvidas; 4) ensiná-lo a jamais trair a irmandade; 5) mostrar-lhe a magnitude do poder da ordem; 6) submetê-lo à prova e fazê-lo aceitar que "O Paraíso repousa na sombra da espada"; 7) orientá-lo na interpretação esotérica* (sobrenatural) *dos textos da própria irmandade.*

A mística

Hassan Sabbah apresentava-se como o *Hojjat* do imã, aquele que falava e agia em lugar do imã oculto, que estava apenas aguardando o momento apropriado para aparecer. Havia, pois, inerente à doutrina ismaelita, uma crença messiânica segundo a qual, fatalmente, se daria a Grande Revelação. O salvador, que pairava sobre a sociedade sem mostrar-se, em um determinado dia deixaria o mundo das sombras. Os seus seguidores, enquanto este momento sagrado da Parúsia não se dava, usariam os punhais para purificar o ambiente, afastando da paisagem as ervas daninhas e os frutos estragados que poderiam vir a ferir ou envenenar o ar do imã revelado. Nada mais perfeito para ele do que a sua morada naquela fortaleza isolada do mundo, o Alamut*, o ninho de águia, que logo seus inimigos deram a indicar como "o ninho da serpente", dado o bote traiçoeiro das operações que ele ordenava.

O método dos assassinos

Apesar de andarem uniformizados na fortaleza de Alamut – trajes brancos com um cordão vermelho enlaçando-lhes a cintura (as mesmas cores que os cavaleiros templários irão adotar) –, os

* A fortaleza de Alamut ficava nos montes Elburz, pertencentes a uma cadeia de montanhas situadas ao norte do Irã, na margem sul do mar Cáspio. Área com escasso povoamento devido à aridez geral. (N. do A.)

fadavis, os devotos, quando recebiam uma missão, camuflavam-se. Preferiam misturar-se aos mendigos das cidades da Síria, da Mesopotâmia, do Egito ou da Palestina, para não chamar a atenção. Em meio à multidão urbana, eles eram "adormecidos", levando uma vida comum sem atrair suspeitas, até que um emissário lhes trazia a ordem para "despertar" e atacar. Geralmente eles se aproximavam da vítima em número de três. Se, por acaso, dois punhais fracassassem, haveria ainda um terceiro a completar o serviço. Atuavam, esses "anjos da destruição" do Velho da Montanha, como muitos chamavam Hassan Sabbah, em qualquer lugar: nos mercados, nas ruas estreitas, dentro dos palácios e até mesmo no silêncio das mesquitas – lugar escolhido em razão das vítimas estarem ali entregues à oração e com a guarda relaxada. Os assassinos chegaram a assustar até mesmo o grande sultão Saladino, seu inimigo de morte, deixando um punhal com um bilhete ameaçador em cima da sua alcova.

O uso do haxixe

Capturados, os membros da ordem nada diziam. Viviam, em um estado alheio às coisas do mundo, em uma esfera especial amparada pela Lei Divina, mostrando absoluta indiferença pelo destino deles próprios na Terra. Seguiam para o cadafalso sem pestanejar, deixando aos executores a terrível sensação de impotência perante aquele fanatismo. Este comportamento autista contribuiu para que se acreditasse que eles inalavam haxixe antes de esfaquearem suas vítimas, advindo daí, por corruptela, a palavra *assassino*. Alguns historiadores ponderam que a utilização de um estupefaciente tão poderoso como o haxixe não poderia excitar a violência nem a agressividade necessária para praticar um crime a sangue-frio. A droga teria, pois, uma outra função. Acreditam, isso sim, que ela fosse usada por Hassan Sabbah nos rituais de iniciação da ordem como uma introdução à idéia do Paraíso, para que os aspirantes tivessem, experimentando a erva que lhes era oferecida em um jardim das delícias, uma primeira prova das volúpias imateriais que os aguardariam no futuro, quando da sua morte em função da causa. Foi esse o sentido que Baudelaire captou com o seu "Poema do haxixe" ("Poème du haschisch", *Paraísos artificiais*, 1858-60).

Aproximação com os cruzados

Hassan Sabbah e seus sucessores trataram de ocupar a maior parte dos fortes e fortins, em uma linha que se estendia do Irã até a Palestina, passando pela Síria, para fazer com que a influência da ordem fosse sentida em todas as paragens e para que os punhais dos devotos provocassem medo em toda a parte. Odiados por turcos e árabes, por sunitas e xiitas (sendo um ramo dissidente desses últimos), foi inevitável que a Ordem dos Assassinos, em um primeiro momento, se aproximasse dos cavaleiros cruzados, tão estranhos na região da Terra Santa como eles mesmos se sentiam. Não só isso. Seguramente foi aquela simbiose entre fé fanática e disciplina militar extremada que fascinou os primeiros nove cavaleiros cristãos, liderados por Hugo de Payens, que se decidiram por fundar a Ordem dos Cavaleiros do Templo, no ano de 1118. A dedicação integral e absoluta dos devotos, a abjuração de tudo, inclusive da vida, a cega obediência e o espírito de ordem monástico-guerreira que os tornava membros de uma cavalaria espiritual logo estreitaram ainda mais o ideário dos cavaleiros cristãos com o dos assassinos.

Assassinos e zelotes

Guardadas as devidas distâncias e motivações, há muita similitude entre o *modus operandi* dos assassinos a mando do Velho da Montanha e as ações e os atentados realizados pelos zelotes, militantes da causa judaica anti-romana. Aparecidos no século I a. C., os zelotes reagiram à presença das águias imperiais na Palestina e na Judéia, praticando atentados seletivos, matando não só os representantes da autoridade romana, mas igualmente os judeus que se mostravam dispostos a colaborar com o ocupante. Tiveram um notável papel no levante de 66-70 e, seguramente, formavam a maioria dos que se refugiaram na fortaleza de Massada, para lá resistirem até o fim, uns mil deles, às legiões do general Silva, que ocupou o reduto no ano de 73. Por portarem ostensivamente suas adagas e facas em público, ameaçando meio mundo, os gregos chamavam-nos de *Sicarii* (do grego *Sikarion* = homem do punhal). O historiador Arnold Toynbee dividiu o comportamento dos povos invadidos daquela região em dois tipos. Chamou de *herodianos* (do rei Herodes, o monarca judeu colaboracionista) aqueles que não só aceitavam o domínio estrangeiro como abertamente se associavam com o invasor, enquanto que os *zelotes* posicionavam-se exatamente ao contrário. Seriam os que rejeitavam qualquer aproximação ou acordo com os estrangeiros. Os assassinos ismaelitas, entretanto, não se enquadram nesta classificação porque não estavam a serviço de uma causa nacionalista, mas sim de uma ordem religiosa sectária, que repudiara tanto a dinastia Fatímida do Egito quanto a Abássida de Bagdá.

Cavaleiros e poetas

Os monges templários, a principal ordem cristã da cavalaria*, não só adotaram uma série de preceitos e regulamentos tomados emprestados da Ordem dos Assassinos, como também fizeram suas as cores deles: o branco e o vermelho. Tão próximas foram estas relações que até Luís IX, rei da França, certa vez enviou uma missão diplomática para visitar o castelo de Jebel Nosairi, ocupado por um chefe local da Ordem dos Assassinos. Frederico

---

* A Ordem dos Templários foi fundada em Jerusalém por dois cavaleiros cruzados, Hugues de Payens e Godofredo de Saint Omer, em 12 de junho de 1118, com a função de proteger o Santo Sepulcro e garantir a segurança dos peregrinos cristãos que lá chegavam. Foi dissolvida no ano de 1312 pelo papa Clemente V. (N. do A.)

II, o Barba Ruiva, imperador alemão que participou das cruzadas, convidou vários ismaelitas para que o acompanhassem de volta à Europa, dando-lhes copa franca na sua corte. A atração por sociedades secretas seduziu também os poetas italianos do movimento estético *Dolce stil nuovo* (literalmente "doce estilo novo"), como Guido Cavalcanti e Dante Alighieri, que, inspirando-se em um livro da mística xiita intitulado *Jardim dos Fiéis do Amor*, criaram a sua própria irmandade secreta, a dos *Fedeli d'Amore*. Portanto, o gosto de muitos europeus por congregarem-se ao redor de lojas esotéricas, com rígidos rituais de iniciação e um ar secretíssimo, hábito tomado na época das cruzadas, provavelmente lhes foi instilado pelos feitos da Ordem dos Assassinos.

O fim da ordem

Com os assassinos protegidos por uma fortaleza tida como inexpugnável – um poderoso castelo erguido nas alturas das montanhas do Irã –, que nenhuma força local poderia tomar de assalto, foi preciso esperar a invasão dos mongóis no século XIII, para que finalmente o ninho da águia fosse destruído pelas hordas vindas do Oriente. No ano de 1260, com o ataque das forças de Hulagu, neto de Gêngis Cã, encerrou-se para sempre a ameaça que a seita dos assassinos exercia sobre boa parte do Oriente Médio. A lenda que deixaram foi difundida no Ocidente pelos cavaleiros cristãos e pelos monges escribas que os acompanharam, impressionados com as histórias terríveis a que os devotos da estranha ordem estavam associados – símbolos vivos do que era possível fazer com um ser humano, tornando-o mero objeto a serviço do fanatismo.

12
Mouros *vs* cristãos: Las Navas de Tolosa

O pan-islamismo é uma assombração. A Europa vitoriosa vê todas as tentativas de resistência ao seu domínio como resultantes de uma atividade perversa, um complô sinistro... de métodos de traição cruéis, sanguinários.

Maxime Rodinson – *La fascination de l'Islam,* 1980

"Os mouros às portas!"

A notícia da queda do castelo de Salvaterra, próximo a Toledo, nas mãos dos mouros, ocorrida em setembro de 1211, estremeceu a Espanha cristã. Por mais que os vencedores tenham permitido a retirada dos cavaleiros da Ordem de Calatrava para que recuassem a Castela, em todos acometeu o medo de que os árabes e os berberes estivessem novamente "às portas". De imediato os reis cristãos da Península Ibérica entenderam que tinham de suspender, ainda que por um tempo, suas intermináveis querelas de fronteira. Era hora de união, não de desacerto. Quem tomou de imediato as providências foi Afonso VIII de Castela, despachando para Roma o arcebispo Ximenes de Rada, primaz da Igreja espanhola, para que arrancasse do papa Inocêncio II uma bula conclamando uma cruzada. De posse de uma carta apostólica, Ximenes de Rada pôs o pé na estrada, anunciando pela Itália, norte da França e mesmo na Alemanha que a gente do Profeta, batendo os espanhóis, iria inundar a Europa inteira.

Sabia-se que o califa Miramamolin (Abu Muhammad al-Nasir) atravessara o estreito de Gibraltar, vindo de Marraquesh, trazendo consigo levas de cavaleiros almôadas – xiitas originários dos desertos africanos, apoiados por arqueiros turcos –, além dos regimentos de berberes montados em cavalos fogosos, todos bons de briga. O que eles chamavam de al-Andaluz, a parte islâmica da Espanha, encontrava-se dividida em cinco emirados (Málaga, Sevilha, Valência, Badajoz-Lusitânia e Toledo) que volta e meia, quando em dificuldade, se socorriam de tropas africanas, como agora faziam com as comandadas por Miramamolin.

"Cruzada! Cruzada!" Ouvia-se por toda a parte. Uma outra bula foi anunciada em fevereiro de 1212, prometendo ao cristão que se apresentasse para lutar contra os mouros a "remissão dos pecados", enquanto uma bula complementar excomungava quem atrapalhasse o rei de Castela no seu esforço em deter o Islã. Vindos das regiões mais diversas, milhares de cavaleiros começaram a concentrar-se em Toledo. Eram lusitanos, navarros, catalãos, aragoneses, galegos, asturianos e, claro, os predominantes castelhanos. A eles juntaram-se ainda os guerreiros hospitalários e templários, além dos da ordem de Santiago e de Calatrava, e tantos mais que vinham da França, da Alemanha. Eram uns 70 mil no total.

Os reis cristãos e seus campeões

À frente daquele poderoso exército marchavam os reis Afonso VIII, de Castela, Sancho II, de Navarra, e Pedro II, de Aragão, seguidos de campeões, tais como Lópes de Haro e Garcia Romero, cujas espadas haviam sido afiadas nos escudos e nos ossos dos mouros, em combates memoráveis. Agrupados em três grandes colunas, puseram-se em marcha para achar o califa. Ao verem que os mouros bloqueavam o Passo do Muradal, na província de Jaen, descobriram uma passagem nas montanhas que lhes permitiu alcançar a planície de Las Navas de Tolosa.

Estimavam que o califa tinha uns 100 mil homens. Pouco lhe serviram. Depois de um primeiro choque, na manhã do dia 16 de julho de 1212, os cristãos tomados de fúria sagrada concentraram-se a destruir as forças de elite de Miramamolin. Foi um deusnos-acuda. Os cavalões encouraçados e as enormes espadas dos cruzados fizeram um estrago medonho. Um alferes castelhano, D. Sancho de Reinoso, chegou a ver, pairando no céu, a Cruz. Era o toque final, o sinal sublime que faltava para que cada braço cristão se tornasse uma máquina de pancadas, de martelaços e adagaços.

Os mouros recuaram e, em seguida, debandaram. D. Fernando, o infante castelhano, assaltou a tenda de Al-Nasir, trespassando com a sua lâmina os últimos guardiães do chefe mouro. Na planícies, jogados, estavam os feridos, milhares deles, implorando misericórdia. As montarias dos cruzados, nervosas, com as patas afundadas no pó ensangüentado, passavam por cima de tudo. Alguns dos mouros caídos talvez recordassem, naqueles momentos derradeiros, quando a vida se lhes esvaía, dos versos de Antera Saddad (525-615) que diziam: "Lembrei-me de ti quando as lanças me feriram e dos brancos sabres gotejava o meu sangue. Quis beijá-los porque brilhavam como a tua sorridente boca". No chão, amarrotada, uma bandeira do califa, que depois foi remetida ao papa. A batalha se encerrara. A Cruz batera o Crescente. Vingaram-se os cristãos do acordo que outros reis foram obrigados a aceitar, vinte anos antes, em 1192, quando o sultão curdo Saladino I, na verdade Salák al-Din Yúsuf Ibn Ayyúb (1137-93), continuou com Jerusalém. A Internacional Cristã, animando a reconquista da Ibéria, dava início à sua contra-ofensiva, que culminou em 1492 com a conquista de Granada pelos reis católicos Fernando e Isabel.

13

Mouros vs cristãos: uma derrota do Ocidente

Praza a Deus que eles nunca mais coloquem os pés aqui.

Abul-Fida, oficial árabe, comentando a expulsão dos cristãos da Palestina, em 1291.

Na época da primeira cruzada (1095-99), os cavaleiros cristãos, depois de terem conquistado Jerusalém, no ano 1099, dividiram a região da Terra Santa em diversos reinos e, explorando a fraqueza e os desacertos entre os maometanos, conseguiram firmar-se na região por dois séculos. Situação que durou até que Saladino conseguiu liderar o povo do Crescente para expulsá-los. A partir dele, os dias em que a cristandade possuía um pedaço da terra sagrada se encerraram.

As tropas do sultão Qalaum mal haviam saído do Cairo quando ele começou a sentir-se mal. Resolveram acampar em Marjat-al-Tin, onde o seu filho al-Asrhraf Khalil foi chamado às pressas à tenda do pai. Ali ele jurou dar continuidade à campanha militar contra os remanescentes dos cruzados que ainda restavam ocupando um naco da Terra Santa. O idoso sultão mameluco expirou em novembro de 1290, e seu sucessor resolveu postergar as operações para o ano seguinte. Seriam os derradeiros movimentos de uma longa e dolorosa guerra que, apesar de seguidas tréguas, envolvia muçulmanos e cristãos há quase dois séculos, desde os tempos da primeira cruzada.

Os reinos cristãos da Terra Santa

Fanatizados pela Igreja medieval, milhares de cavaleiros de todos os escalões da nobreza européia haviam tomado o rumo do

Oriente acompanhados por uma leva de peregrinos e beatos de todas as procedências. Em 1099, conseguiram tomar Jerusalém, massacrando quase toda a infeliz população muçulmana lá capturada. Em 1100, Balduíno, conde de Edessa, resolveu proclamar-se rei de Jerusalém, e os cruzados formaram o Reino Latino, composto por quatro estados nas regiões ocidentais da Síria, Líbano e Palestina. Apesar de sua escassez em homens, os cruzados conseguiram se impor aos nativos graças às suas poderosas armaduras, à sua determinação fanática e a uma série de fortes e castelos que construíram na área. Para assegurar ainda mais seu domínio sobre uma população hostil, permitiram que mercadores das cidades comerciais italianas lá se instalassem, bem como criaram as ordens monacais dos templários e dos hospitalários, para dar apoio logístico às romarias incessantes vindas da Europa.

Divididos entre si, os muçulmanos demoraram quase meio século para reagir ao torpor provocado pela invasão dos odiados *franjs*, como eram chamados por eles os cruzados. A cada sucesso dos árabes, mais cristãos desembarcavam nos portos levantinos para assegurar a posse dos lugares sagrados. Em 1174, as forças do Islã passaram a contar com a extraordinária energia do sultão Saladino. Pondo fim ao inoperante califado fatímida do Egito, passou a coordenar uma campanha sistemática contra as bases dos infiéis. Treze anos depois, em 1187, após a vitória na batalha de Hattin, Saladino teve a honra de ser o primeiro líder islâmico a retomar a cidade sagrada de Jerusalém, ao expulsar de lá os cruzados.

Desde então, confinados a alguns portos do Levante, os cristãos agarravam-se ao litoral da Terra Santa como caranguejos em maré baixa. Os conflitos internos que afligiam a cristandade européia e as querelas dos papas com os imperadores e reis desestimularam a chegada de auxílio. Os cruzados foram salvos de uma expulsão definitiva pela abrupta invasão dos mongóis vindos da Pérsia e que começaram a assolar a região. Liderados pelo neto de Gêngis Cã, Hulagu, colocaram o mundo árabe em polvorosa.

A ascensão dos mamelucos

Foi então que se assistiu a uma das mais ímpares revoluções da História. Exasperados pela incompetência e paralisia da elite abácida, a dinastia muçulmana que governava o Egito e que se mostrava incapaz de fazer frente aos mongóis e aos cristãos, os chefes mamelucos deram um golpe de Estado no Cairo, removendo o califa. Os mamelucos eram soldados-escravos de origem turca importados pelos governos árabes para conduzir as tropas e formar "guardas de confiança" das dinastias reinantes. Nunca lhes fora dado qualquer papel político, a não ser o de obedecer servilmente às ordens. Em 1260, apoiado pela vitória sobre os mongóis em Ain Jalut, o emir Baibars fundou o sultanato mameluco, injetando ânimo na população conclamada à *jihad*, uma guerra santa contra os infiéis.

Trinta anos depois daquela revolução, a data final se aproximava. Cumprindo finalmente com a promessa feita ao pai moribundo, o sultão Khalil acampou em frente às portas da cidade-fortaleza de Acre, em abril de 1291. Fazia exatamente cem anos que ela havia caído em mãos cristãs; agora era o reduto último da presença dos *franjs* na Terra Santa. Um impressionante exército fora convocado dos quatro cantos do sultanato: 60 mil ginetes e 160 mil infantes armados de catapultas, aríetes e bombardas de toda espécie. As tropas do sultão estavam sedentas de vingança porque, algum tempo antes, naquela mesma cidade, atrás daqueles portões e muralhas, centenas de pacíficos mercadores árabes haviam sido trucidados por uma malta cristã.

Arruaceiros cristãos

Temendo um ataque do Islã, o rei Henrique, de Acre, tinha solicitado, dois anos antes, que lhe enviassem esforços da Europa. Somente uma escória vinda da Lombardia e da Toscana embarcou em seu socorro. Desde a sua chegada, a disciplina falha e os impulsos anárquicos desses reforços só renderam incomodações às autoridades. Certo dia, depois de uma bebedeira monumental, saíram à caça de todo o tipo barbado que encontrassem pela frente, degolando impiedosamente os árabes. Quando o sultão do Cairo tomou conhecimento da matança dos muçulmanos, exigiu que os assassinos lhe fossem entregues para serem submetidos à justiça corânica, o que foi negado pelas autoridades cristãs de Acre. Agora, em punição ao desafio dos cristãos, um exército imenso estava à vista da cidade para pôr fim não só aos bêbados assassinos como ao domínio ocidental sobre aquele porto.

Os comandantes cruzados determinaram que todos se dirigissem às muralhas. Nas fortificações voltadas para a parte norte estavam os monges templários, em seguida vinham os hospitalários e os cavaleiros teutônicos*. As quatro torres centrais de Acre estavam sob controle do príncipe Amalarico, irmão do rei, enquanto nas muralhas do leste agrupavam-se os franceses, os ingleses e os soldados genoveses e pisanos, bem como os burgueses da comuna de Acre.

Atendendo às ordens do sultão, centenas de engenheiros e sapadores, protegidos por milhares de flechas e projéteis, começaram a minar as torres centrais. A luta estendeu-se por todo o perímetro da dupla muralha. As tropas que o rei Henrique trouxera às pressas da ilha de Chipre, então controlada pelos cristãos, rapidamente se mostraram insuficientes para reforçar a guarnição de apenas 15 mil cavaleiros e infantes.

No dia 18 de maio, foi ordenado o assalto final, fazendo

---

* A Ordem dos Cavaleiros Hospitalários de São João e Jerusalém foi fundada por ocasião da Primeira Cruzada, em 1100, tornando-se rival dos templários, enquanto a *Haus des Ritter des Hospitales*, ou Ordem dos Cavaleiros Teutônicos, surgiu na própria cidade de Acre, em 1189, por ocasião da Terceira Cruzada. Expulsos da Palestina no ano de 1291, os hospitalários fixaram-se na ilha de Chipre e depois na de Malta, enquanto os cavaleiros teutônicos estabeleceram seu quartel-general em Malbork (atual Polônia). (N. do A.)

com que um verdadeiro mar humano, aos gritos de *Alá,* se jogasse contra as torres de Acre. Depois de intensa luta, os muçulmanos conseguiram derrubar parte dos muros e se apossaram da porta de São Nicolau. Um caudal de soldados adentrou pelas ruelas e paços da cidade-fortaleza, dizimando quem encontrasse pela frente. O rei Henrique e alguns notáveis conseguiram embarcar às pressas em barcos cristãos e foram abrigar-se junto ao reino cipriota. Lá mantiveram a ficção de um Reino Latino de Chipre. Ao cair a noite, os odiados *franjs* tinham-se rendido, haviam fugido ou estavam mortos. Nos meses que se seguiram à batalha de Acre, as tropas do sultão percorreram a zona costeira pondo em fuga os cristãos remanescentes em outras cidades, destruindo cuidadosamente tudo aquilo que pudesse ser utilizado pelos cruzados caso eles tentassem, algum dia, novamente desembarcar na região. Chegaram a revirar as hortas, decepar as árvores frutíferas e desmantelar o sistema de irrigação para tornar impossível a reconquista. Completavam assim, com tal gesto devastador, o que os teólogos chamaram de *De Expurgatione Terrae Sanctae*, a expulsão dos cristãos da Terra Santa, iniciada por Saladino mais de um século antes.

O jovem oficial árabe Abul-Fida, que estava presente na batalha e que, mais tarde, se tornou governante de Hama e historiador, deixou um relato vivo das operações de sítio e captura de Acre, e foi com alívio que encerrou sua crônica rogando "permita Alá que nunca mais eles coloquem os pés aqui". Passaram-se, desde então, setecentos anos e, por desgraça, Ocidente e Oriente voltam a tragicamente se defrontar. Infelizmente, nem Alá nem o Deus dos cristãos atenderam às súplicas de Abul-Fida.

14
O Islã e o Ocidente

O historiador medievo árabe Ibn Kaldun, morto em 1406 e considerado por alguns como o Tucídides* dos mouros, acreditava que no mundo do deserto a que pertencia, as dinastias governantes sofriam de uma inconstância cíclica: uma elite citadina, corrupta, afogada nos maus costumes do luxo, fatalmente dava lugar a uma outra, mais endurecida pela natureza e pelas contingências da vida nômade. De certa forma, o radicalismo fundamentalista não se opõe somente aos valores do Ocidente, mas igualmente expressa uma profunda desconformidade das massas miseráveis do Oriente Médio com os seus dirigentes e governantes.

A austeridade da mesquita

Entre-se em uma mesquita, qualquer uma delas. O visitante tem seus olhos atraídos para o chão, raro para o alto. Ali, estendidos, encontram-se centenas de pequenos tapetes colocados lado a lado, em linhas, contornando as colunas que dão sustentação ao edifício. A decoração é modestíssima, não há figuras humanas nem de animais. Talvez, com sorte, como na bela mesquita de Córdoba, na Espanha, encontre as paredes escritas com a bela e rebuscada caligrafia árabe, a língua escolhida por Alá, ou mesmo um desenho de uma planta ou de um arbusto qualquer.

No púlpito, um imã faz os ofícios sacerdotais, e, em harmo-

*Tucídides (460-400 a. C.), político e estrategista grego, considerado o primeiro historiador crítico e imparcial. (N. do A.)

nia com a cadência das suas palavras, os fiéis presentes às preces prostram-se várias vezes no transcorrer da cerimônia. Não existem bancos, não existem camarotes para os mais ricos, pois ali, naquele solo sagrado, todos são filhos de Alá, todos são iguais frente ao Único. Talvez seja essa a democracia possível no Islã.

Ibn Kaldun encontrou, porém, traços de democracia nas tribos primitivas do deserto. Para ele, era justamente a pobreza absoluta, aquela dieta de tâmaras e água barrenta, que de alguma forma impedia o surgimento da tirania. Logo, não lhe pareceu ser Alá o mentor da igualdade (Kaldun foi o último pensador árabe secular), mas a miséria dos beduínos.

Forçados a partilhar tudo o que tinham, o que encontravam ou pilhavam, desenvolveram a *asabyia*, um certo senso de coletividade fraternal à qual os condenava aquela maneira de ser rude e frugal.

Mas havia também outra razão para que eles não se submetessem facilmente a um chefe. Se por acaso um déspota, um emir ou um vizir os quisesse sob chicote, bastava montar o dromedário, com uma bolsa de água a tiracolo, e trotar para os confins do deserto.

O rústico contra o urbano

A essa gente endurecida, esses nômades "puros" que formavam a *umran badaui*, a comunidade rural, Ibn Kaldun opunha a gente das cidades. Nelas habitava um povo molenga, dado à luxúria, ao consumo de licores, sedentário, amante das almofadas, do tabaco e do haxixe. Formavam a *umran hadari*, o mundo urbano, quase sempre à beira da decadência, governado por tiranos ou rematados vadios, que mandavam nos outros por intermédio de favoritos. Acreditando em ciclos históricos, Kaldun afirmou que, volta e meia, os durões do deserto invadiam as cidades, dominadas pela licenciosidade e pela corrupção, assumiam o comando, chicoteavam os corruptos e trancavam as mulheres nos lares. Era o sangue novo, engrossado pela necessidade e vindo dos fundões áridos, que explicava por que as culturas decadentes se revitalizavam.

Por mais primitivos que fossem esses homens do deserto, eles sentiam-se parte de uma enorme comunidade, a *Umma*, a irmandade dos muçulmanos. Estivessem eles no Cairo, em Bagdá, em Beirute, em Damasco, ou na bem mais afastada Andaluzia, bastava dirigir-se à mesquita, tirar as sandálias sujas de pó, que Alá estava lá dentro, aguardando-os, dando-lhes sombra e consolo. Quando aquele mundo do Islã, a partir dos séculos XIV e XV, começou a petrificar-se, a luz da esperança deu para esmaecer. Os seus cientistas e seus filósofos, seus astrônomos e seus pensadores, sentiram-se mais e mais sufocados. A ortodoxia religiosa e a sua irmã, a paralisia mental, deram para perseguir o original, o imaginativo, o criativo. Os séculos foram passando, e a lua cheia do deserto configurou-se como um quarto crescente que não crescia. A grande sombra que baixou sobre eles estendeu-se do Marrocos à Indonésia.

Luzes contra trevas

Talvez fosse Napoleão, quando ocupou o Cairo, em 1798, o único estadista ocidental preocupado em levar aos muçulmanos as tinturas do iluminismo, carregando consigo pelo deserto o que de melhor a ciência da França possuía naquela época – cavalaria, infantaria, artilharia e uma centena de sábios da academia de Paris. A fórmula do general corso era simples – canhões e cérebro. Napoleão, porém, fracassou.

Desde então, todos os outros ocidentais que chegaram no Oriente Médio, de Lord Gordon ao general Rommel, só lhe trouxeram sofrimento. E quando os cobiçosos homens do petróleo da Europa e do Texas lá puseram os pés, no correr do século XX, disparando atrás de concessões e facilidades, entrando nas tendas dos mandões árabes com as mãos cheias de dinheiro, não fizeram nenhuma questão de que seus parceiros comerciais muçulmanos imitassem as liberais instituições políticas do Ocidente.

Os xeques, com os bolsos repletos, entregaram-se então aos prazeres da vida. Carrões, mulheres, cassinos, diamantes e rubis, aluguéis de hotéis inteiros nas principais capitais européias ou em Las Vegas passaram a ser a única razão de existir. Tal comportamento de nababo das elites árabes era um insulto ao homem probo e pobre do oásis, uma ofensa à alma do beduíno. Foi então que um rancor profundo deu para rondar e cercar as cidades do Islã. Ouviam-se lamentos em cada choça. Em cada caverna, dizia-se que a hora da vingança estava para soar. Os homens do deserto, com Alá na boca e o Corão nas mãos, quiseram de novo assaltar a cidade profana, corrompida pelo dinheiro do Ocidente.

15

Napoleão no Egito, a razão desvenda a Esfinge

Acreditam que o Império do Oriente e talvez a sujeição de toda a Ásia não valem uma bombacha e um turbante?

Napoleão Bonaparte, 1798

Madame Monge exasperou-se. Não podia imaginar o seu Gaspard, um professor, metido nos desertos do Egito, assolado pelo frio noturno e pela incandescência diurna. Mas o jovem general Bonaparte insistia: Gaspard devia acompanhá-lo. Era um matemático celebríssimo, e Napoleão, que fora seu aluno em Paris, quando moço, não podia dispensá-lo da aventura. Convencida, a esposa concordou que ele partisse. Assim como aquele mestre, outros 160 sábios foram arrebatados pelo entusiasmo do comandante, entre eles, o químico Berthollet, o geólogo Dolomieu, o físico Fourier, Méchain, um técnico em lunetas, e o grande naturalista Geoffrey de Saint-Hilaire. Até um aeróstata, Nicolas Conté, e um poeta, Parceval de GrandMaison, embalaram-se com a idéia de ir ver de perto as pirâmides. Napoleão conseguiu contagiar para sua aventura no Nilo até a gente da *École Polytechnique* – a hoje celebrada *Poly*. O que ele tinha em mente era seguir os passos de Alexandre, o Grande, que, ao lançar-se na conquista da Ásia Menor, levara consigo uma eminente equipe de sábios gregos para estudarem tudo o que fosse possível das terras ocupadas.

O governo do Diretório, por sua vez, levantou as mãos aos céus por se ver livre daquele general de 29 anos. Um rapaz perigoso com a ambição de um César. No dia 1º de junho de 1798, o jovem titã desembarcou da sua nau capitânia, o *L'Orient*, nas proximidades de Alexandria, no Egito, em um local não muito longe de onde aportaram as legiões de Pompeu e de Otávio, no século I a. C. Levava consigo 300 navios e 35 mil soldados e, naturalmente, o seu departamento de sábios, que não demorou muito em ser apelidado pelos oficiais ciumentos de "a amante favorita do general". Daí entende-se sua preocupação para com eles e razão da sua cômica ordem, dada um pouco antes de deparar-se com a cavalaria inimiga na planície de Guizé: "*Les bêtes et les savants au demi*", os burros e os sábios no meio!

A estratégia global de Napoleão era atrair a Grã-Bretanha para fora do Mar do Norte, bloqueando-lhe o contato com o seu império indiano. Azucriná-la bem longe de casa. Evidentemente que ele imaginava-se um outro Alexandre, o Grande, tão moço e tão audacioso como o conquistador da Antiguidade. Como este fizera em 334 a. C., carregando consigo um conjunto de especialistas e filósofos gregos para estudar o Oriente, Napoleão resolveu imitá-lo. Queria somar à conquista militar os ganhos científicos. Abrir o Egito aos olhos da Razão. Ver o que a Esfinge e as pirâmides de Guizé escondiam aos olhos de todos. Esmiuçá-las com as lentes cartesianas, afastando as milenares teias que envolviam o seu passado, recompondo-o pelo crivo crítico das luzes.

No Renascimento, gente como o filósofo Marsílio Ficino sentiu-se atraída pelos mistérios do Egito, pela escrita hermética que se acreditava provir de lá, os seus indecifráveis hieróglifos. Nada disso desejava Napoleão. Nem mistérios, nem catar almas danadas vagando pelas tumbas ilustres, muito menos ir atrás de segredos insolúveis. Ao contrário, queria fugir da superstição. Tudo o que fosse encontrado nas suas andanças científicas seria arrolado, estudado e classificado, segundo os últimos recursos da técnica de investigação. O que não se sabia, o que não era entendido até aquele momento, seguramente seria revelado no futuro.

A inspiração direta para a expedição ao Oriente Médio, mais especificamente ao Egito, veio-lhe de uma obra que o impressionara muito quando ainda era tenente e leitor voraz: tratava-se da

Voyage en Égypte et en Syrie, do conde de Volney, editada em 1787. Na época, Napoleão era um oficial pobre mas visionário. Não seguiu Volney, no entanto, na sua disposição antimuçulmana. Bem ao contrário, logo ao chegar em solo islâmico, na Proclamação aos Muçulmanos, afirmou aos habitantes do Cairo: "*Nous sommes les vrais musulmans*", somos os verdadeiros muçulmanos!

Entendia que seria uma rematada loucura dos franceses, como invasores e ocupantes, indisporem-se com a imensa população local por motivos de fé. Havia que respeitá-los. Daí Napoleão ter surpreendido os seus próximos vestindo-se como um xeque, de turbante e tudo, e enfiado em longas conferências com os líderes religiosos islâmicos, orientando os imãs, os muftis e os ulemás, para que interpretassem o Corão a seu favor. Proclamou-se *cheik el beled*, o grande xeque do Egito, e *émir hagi*, o protetor dos peregrinos, cuidando para que todos os seus decretos fossem traduzidos para a língua árabe.

Depois de dar sovas na cavalaria mameluca, espantando-a a canhonadas na célebre Batalha das Pirâmides, ele mesmo resolveu participar de algumas expedições. Em dezembro de 1798, na companhia dos sábios, rumou para o Sinai atrás de vestígios do antigo canal dos faraós*.

Em um ano, a equipe francesa levantou enorme material. A tal ponto que Napoleão decidiu-se por fundar lá mesmo, em agosto de 1799, o *Institut d'Egypte*. Dividido em quatro seções, sua função seria a publicação dos achados e tudo o mais que lhes dissesse respeito. Escolheu como sede o palácio mais belo do Cairo, o *Hassan Cachef*, que se tornou o berço da moderna

* Curiosamente, o relatório do engenheiro-chefe J.-M Père, feito naquela ocasião, caiu mais tarde nas mãos dos ingleses quando estes ocuparam o Egito. Décadas depois, o diplomata Ferdinand de Lesseps, o futuro construtor do canal de Suez, inspirou-se nele quando exercia as funções de cônsul francês em Alexandria, em 1832, ficando possuído pela idéia de reconstruir a milenar artéria artificial há milênios desaparecida. (N. do A.)

egiptologia. O próprio Napoleão inscreveu-se como membro do departamento de matemática.

Uma das maiores contribuições da expedição à ciência – descoberta que abriu as portas da egiptologia – só iria revelar-se alguns anos depois da expedição fracassada, quando o próprio império napoleônico já havia desaparecido. Em 1799, um soldado francês perto da aldeia de Rosetta, no Egito, encontrara uma estranha pedra, toda ela recoberta por letras e sinais. Descobriu-se que era um decreto do faraó Ptolomeu V Epifanes e que estava calcado em três escritas: o hieróglifo, o demótico e o grego. Mas ninguém naquele momento apresentou-se com condições de decifrá-lo. Os ingleses se apoderaram da pedra quando os franceses capitularam, em 1801, carregando-a para o Museu Britânico.

A sua tradução coube, mais tarde, a Jean-François Champollion – um gênio da filologia que, com apenas 32 anos, dominava seis antigos idiomas orientais, fora o grego e o latim. Em 1822, o trabalho aprontou-se. Em 1824, ele concluiu seu *Précís du système hiéroglyphique des anciens égyptiens*, que foi a chave da revelação de todas as inscrições encontradas nos templos, pirâmides e demais tumbas reais.

Desde então, um novo continente do conhecimento abriu-se, e, gradativamente, uma das mais antigas civilizações da Terra, a egípcia, pôde ser desvendada e exposta à curiosidade do homem moderno, tornando-se a descoberta do significado dos hieróglifos um dos mais extraordinários legados do iluminismo à idade contemporânea.

16
O Grande Jogo: a conquista do Cáucaso

Agora deverei ir para bem longe em direção ao Norte, para jogar o Grande Jogo.

Rudyard Kipling, *Kim*, 1901

"O Grande Jogo" foi uma expressão cunhada por Rudyard Kipling, o bardo do colonialismo britânico na Ásia e Prêmio Nobel de Literatura de 1907, para definir as complicadas maquinações anglo-russas pelo controle da Ásia Central. Mais precisamente, sobre as regiões que se situam entre o norte da Índia e o mar Cáspio, de enfrentamentos travados entre o Império da Rainha Victória e o Império dos Czares da Rússia ao longo de boa parte do século XIX. Essa mesma expressão pode ser hoje, no início do século XXI, utilizada para definir o grande embate que volta a se travar ao redor daquela região, sendo que agora são os Estados Unidos que substituem a Grã-Bretanha no papel de fazer frente a uma Rússia fragilizada.Trata-se de um duelo de titãs pelo controle da bacia petrolífera do mar Cáspio, recentemente acirrado pela introdução de um outro elemento, inesperado: a presença do fundamentalismo islâmico, que também pensa em pôr as mãos no ouro negro para financiar o seu projeto de implantação de repúblicas islâmicas. O Grande Jogo de agora tem sofrido influências da ambição dos aiatolás aliados aos guerrilheiros de Alá, além dos usuais interesses estratégicos das grandes potências.

O Tosão de Ouro

Segundo os historiadores, o mar Cáspio e o Cáucaso, a "Montanha das Mil Línguas", desde tempos imemoriais faziam parte do imaginário grego como o lugar do "Fim do Mundo". Fora para lá que se dirigira, em épocas remotíssimas, a expedição dos Argonautas, liderada pelo mitológico herói grego Jasão. O seu objetivo era reaver o Tosão de Ouro, em posse do rei Aetes de Cólquis*. Quem o ajudou na empreitada final, inclusive fugindo com ele, foi a princesa Medéia, filha de Aetes, mulher de recursos mágicos, dotada em feitiços e coisas malignas. Também foi nas vizinhanças de Cólquis, nas montanhas do Cáucaso, que o mitológico Prometeu, o titã que roubara o fogo do Olimpo, foi encadeado por Zeus e condenado a ser eternamente torturado. Sem esquecer-se de que – nos tempos mitológicos do Velho Testamento – foi nos altos do monte Ararat, situado na Armênia, que Noé ancorou a sua arca depois de um espantoso dilúvio. Portanto, aquela região do Cáucaso foi vista no Ocidente, e mesmo na Rússia, como uma terra de assombros, de abismos intransponíveis, de feitiços e punições terríveis – local onde uma humanidade sobrevivente começou uma nova vida.

O cenário do Grande Jogo

Durante séculos, aquela enorme área, povoada por indômitas tribos montanhesas, pastores nômades e destemidos guerreiros, pairou como uma espécie de terra de ninguém, ou zona tampão, isolada de todos, longe do mundo, a meio caminho entre a Velha Ásia e a Europa, até que seu destino começou a mudar. Poderosas forças imperiais para lá derramaram seus exércitos, empurradas por razões estratégicas, para firmar sua soberania sobre aqueles confins. No século XVII, foram russos e turcos quem

* A lenda do Tosão de Ouro é tipicamente caucasiana. Desprovidos de instrumentos de garimpo, os habitantes da região usavam as peles das ovelhas e dos carneiros como uma maneira de filtrar as pepitas de ouro que desciam pelas corredeiras d'água vindas do alto das montanhas. Uma delas ficou completamente tomada pelos fragmentos do ouro, brilhando intensamente ao sol. Desde então se tornou lendário o Tosão de Ouro. (N. do A.)

se digladiaram. No século seguinte, com os ingleses baseados na Índia, foram as ambições britânicas que entraram em ação. Durante um século, de 1820 a 1920, deu-se entre aquelas potências, naquela esquina da Terra que separava o mundo cristão do mundo islâmico, o Grande Jogo.

Este nada mais era do que um eterno vaivém de uma partida de xadrez, onde, por boa parte do século XIX, de um lado do tabuleiro, o rei era o Czar, e do outro, a rainha era a imperatriz das Índias e soberana da Grã-Bretanha. Ao redor deles, atuando como peças menores, subalternas, o sultão turco e o xá do Irã. Entre um e outro, espalhavam-se os peões do Grande Jogo, os povos do norte da Índia, as tribos do Afeganistão, do Turcomenistão, do Uzbequistão, do Tadjiquistão, da Geórgia, do Azerbaijão, da Chechênia, do Daguestão, tártaros, mongóis, e tantos outros mais, que, de longe, eram manipulados ao sabor do ir e vir das rivalidades dos dois potentes maiores.

Nas principais cidades daquela vastíssima área, cortada pela velha rota da seda, em Baku, em Tbilisi, em Grozni, em Teerã, em Kabul, em Jalalabad, Dushanbe, Bukhara, Rawalpindi, Gahzni ou Peshawar, em meio a caravanas de camelos e de jumentos carregando tapetes, peças de fina seda, gaze ou musselina, bordados e rendas enrolados com potes de caviar e latas com tâmaras, barcos de contrabandistas de armas singrando o Cáspio, pululavam espiões por todos os lados.

Além deles, havia agentes provocadores, sicários, mercenários, traficantes de escravos, encantadores de serpentes, dançarinas do ventre, diplomatas, militares, negociantes, agiotas, monges budistas, gurus, faquires, agentes de companhias e das recém-chegadas empresas de petróleo, sempre prontos a arrancar concessões de xeques, de emires e de marajás, tentando-os com libras, ouro ou armas. Todos participantes menores do Grande Jogo, todos eles peões das maquinações imperiais.

Limitada ao norte pelo Cáucaso, ao sul pelos montes Elborz

e pelo Hindu Kush, e ao leste pelo Himalaia, a vasta região da Eurásia sempre se destacou em estimular a imaginação dos escritores. Rudyard Kipling, que morou a maior parte da sua vida na Índia britânica, a escolheu como pano de fundo para a maioria dos seus poemas e novelas, entre elas, *Kim*, que narra a história de um jovem agente secreto inglês metido em aventuras sensacionais nos elevados da Ásia.

A partilha do Mar Cáspio

Com o lento declínio da presença do Império Britânico na Ásia, a União Soviética e o Reino do Irã – ambos defendendo a tese de ser o mar Cáspio um lago interno – dividiram-no em duas partes. As ricas bacias de petróleo lá existentes, exploradas nas suas margens mais intensamente a partir do *boom* de 1870, foram, depois de 1920, divididas mais ou menos a contento entre os comunistas e os súditos do xá. As empresas ocidentais, banidas da URSS, estabeleceram contratos do outro lado, na parte persa, até que, em um curto espaço de tempo, novos e sensacionais acontecimentos abalaram a região: a Revolução Xiita no Irã, em 1979, e a dissolução da URSS, em 1991.

Estimativas das reservas de petróleo do Cáspio (dados do ano de 2002)

País	Reservas em bilhões/barris
Rússia	17
Azerbaijão	36-45
Irã	15
Kazaquistão	17,5-34
Turcomenistão	81
Reservas totais	253-270

O fim da estabilidade

Os acordos petrolíferos que foram assinados entre o Irã e a URSS nos anos de 1920 e 1930 só poderiam ter continuidade com a garantia da permanência dos regimes que os mantinham: o xarado persa e o comunismo soviético. Com a desordem resultante do seu desaparecimento (o fim do regime do xá deu-se em 1979, e o dos comunistas, dez anos depois, entre 1989 e 1991), um novo cenário político emergiu. O equilíbrio até então mantido na região do Cáucaso pela URSS e pelo Irã esfumou-se. Enquanto os povos da montanha formavam o seu próprio país (Geórgia e Armênia), os que habitavam as margens do mar Cáspio fizeram o mesmo (Azerbaijão, Tadjiquistão e Casaquistão). Além disso, as ex-repúblicas autônomas da URSS de fé muçulmana, a Chechênia e o Daguestão, entraram em polvorosa, com seus guerrilheiros islâmicos armando-se contra a Federação Russa.

Movendo intensos combates, entremeados por ações terroristas no solo russo, contra a presença dos interesses do Kremlin no Cáucaso, os combatentes do Profeta ambicionavam expandir as repúblicas islâmicas para a Ásia Central, aproveitando-se do vácuo de poder deixado pela crescente fraqueza de Moscou. A Eurásia, enfim, entrou na era dos tumultos.

Em busca do Tosão de Ouro

Foi em meio às confusões provocadas pelo separatismo caucasiano, emergido da crise russo-iraniana, que as grandes corporações ocidentais aproximaram-se da região para estabelecer seus contratos com os novos senhores da guerra daquela área. Entrementes, as notícias sobre as reservas de petróleo e gás natural existentes no Cáucaso e no Cáspio eram espantosas. Estimou-se que elas atingiam volumes impressionantes, que poderiam implicar dois terços das reservas mundiais de hidrocarbureto, algo muito superior à soma das reservas existentes nos Estados Unidos e no Mar do Norte.

As reservas de petróleo do Mar Cáspio
(em bilhões de barris)
RÚSSIA
17
CAZAQUISTÃO
17,5 a 34
Mar Cáspio
AZERBAIJÃO
36 a 45
TURCOMENISTÃO
81
IRÃ
15
RESERVAS TOTAIS
253 a 270
bilhões de barris

Bacias	*Reservas potenciais de óleo (em bilhões de barris)*
Mar Cáspio E.U.A. Mar do Norte	De 17,7 até 34; no futuro: 253-270* 22 17

Onde, no transcorrer de quase todo o século XX, havia apenas duas soberanias ao redor do mar Cáspio – a URSS e o Irã –, agora existem cinco: além da russa e da iraniana, soma-se a do Azerbaijão, a do Cazaquistão e a do Tadjiquistão. Estes novos países independentes do Império Soviético passaram a lutar por um novo estatuto de exploração das bacias de óleo, abandonando, em sua defesa, a tese de que o mar Cáspio era um "lago interno" e defendendo uma legislação baseada na Lei Internacional do Mar, que lhes permitiria obter mais direitos e mais ganhos. Seja como for, a bacia do Cáspio tornou-se o novo Tosão de Ouro, troféu mágico cobiçado por muitos argonautas ocidentais que, como os amigos de Jasão, também se uniram, formando poderosos consórcios para prospecção, exploração, distribuição e comercialização do petróleo e do gás natural. Um dos maiores contratos petrolíferos da história recente, tido como o "contrato do século", foi firmado, no valor de US$ 8 bilhões, entre o governo do Azerbaijão e a Azerbaijan International Operating Company (AIOC), um consórcio anglo-americano ao qual foi autorizada a exploração de três riquíssimos campos situados no mar Cáspio.

E, como na mitológica viagem dos argonautas, o problema do presente não é só encontrar o Tosão de Ouro, mas fazer com que a riqueza espremida dele chegue ao Ocidente. Desafios geográficos e políticos, implicando sérios problemas de segurança, surgem a toda hora. Enquanto os russos insistem em oferecer o seu

* Previsão segundo estimativas mais recentes. (N. do A.)

oleoduto, pela Rota Norte (Baku-Novorossiiski), e os iranianos o seu, pelo Sul (Baku – ilhas Kharg), o governo Clinton estimulou, por motivos estratégicos, que as grandes corporações construíssem um conduto próprio, ligando Baku ao porto turco de Ceyhan, situado no mar Mediterrâneo, fazendo com que a maior parte dele seja percorrido na Anatólia turca, área sob tutela da OTAN e segura aliada dos norte-americanos. O objetivo disso era simples: enfraquecer a importância da Rússia e do Irã, assegurando aos interesses estratégicos e econômicos ocidentais um acesso independente à bacia petrolífera do mar Cáspio.

A importância estratégica do Azerbaijão

Na medida em que as duas rotas já estabelecidas passam uma pelo território russo e a outra pelo iraniano, o Azerbaijão assumiu uma enorme importância aos olhos das empresas ocidentais. De peão, foi promovido a peça principal do Grande Jogo. Partindo de Baku – a capital do país e principal centro receptador de óleo e de gás – em direção ao Ocidente, o conduto de mais de 1.700km de extensão, iniciado em 2002, cujo custo final está estimado em 2,8 ou 2,9 bilhões de dólares, tem a previsão da sua conclusão para o ano de 2004. Em vista disso, é preciso constituir um eficaz sistema de proteção que impeça ameaças de bloqueio ou de sabotagem, particularmente quando ele percorre o território sul-caucasiano (Azerbaijão e Armênia). Preocupado com isso, o Departamento de Estado dos EUA desenvolveu a *Partnership for Peace*, o Projeto Associação para a Paz.

Trata-se de uma operação diplomático-militar que visa a estender o controle da Organização Tratado Atlântico Norte (OTAN) para a região do sul da Rússia e do Cáucaso, atraindo a Ucrânia, a Geórgia, o Azerbaijão e até o Kasaquistão e o Tadjiquistão, formando um eixo de poder equidistante da Rússia e do Irã. O seu objetivo mais imediato é preencher o vácuo deixado na região pelo enfraquecimento do poder de Moscou e pelo isolamento iraniano. Segundo o almirante Nathan Nimitz, trata-se da conseqüência lógica da aplicação da PAX OTAN, que, assim esticada, atinge o coração da Eurásia. O conduto a ser construído pelas empresas ocidentais assemelha-se a um enorme canudo sugando o óleo e o gás natural diretamente do mar Cáspio, protegido por todos os lados pelo escudo aéreo e militar da OTAN. Neste cenário, além das perturbações causadas por disputas étnicas (como o conflito entre armênios e azíris no enclave de Nagorno-Karabakh), assombra a ameaça do radicalismo islâmico, como o seu projeto de implantar no Cáucaso e seus arredores o maior número possível de repúblicas fundamentalistas.

Como afirmação do pragmatismo das potências em tratar as coisas do petróleo e seus derivados, é bom lembrar a célebre frase de Lord Palmerson, que a política correta de um império deve seguir:

"Nós não temos aliados eternos, nem temos inimigos perpétuos. Nossos interesses são eternos e perpétuos, e é a esses interesses que devemos servir".

17
A Turquia na encruzilhada

A Turquia dos dias de hoje é apenas uma pequena sombra do outrora todo-poderoso Império Otomano dos séculos XVI e XVII, quando o estandarte do Crescente, comandado pelos sultões de Istambul, metia medo em toda a Europa. No presente, devastada pela recessão econômica e pressionada pelos Estados Unidos, ela se encontra na embaraçosa situação de ter que ceder o seu território para que dali a grande potência consuma a agressão final ao seu vizinho, o Iraque.

O império dos sultões

Disseram que o sultão Solimão, o Magnífico (que reinou entre 1520-1566), temia mais as preces do papa do que os canhões dos cristãos. E tinha razão, pois foi Pio V quem, aliando-se a Felipe II da Espanha e a outras cidades italianas, depois de muitos anos de recuos no Mediterrâneo, mobilizou uma cruzada contra os turcos. Cinco anos depois da morte do famoso sultão, a marinha ocidental, comandada por João da Áustria (um filho ilegítimo de Carlos V), cercou, no dia 5 de outubro de 1571, a frota turca do almirante Ali Paxá, em Lepanto, no golfo de Corinto. O monarca bastardo impôs-lhe uma memorável derrota, capturando boa parte das suas galeras, na batalha em que o grande Miguel de Cervantes perdeu a mão.

Até aquela época, o mundo sultânico era impressionante. O Império Otomano, alargado pelas campanhas de Solimão, o califa do Islã sempre atrás de "novos inimigos, de novos súditos", estendia-se dos campos da Hungria, no meio da Europa, até o sul

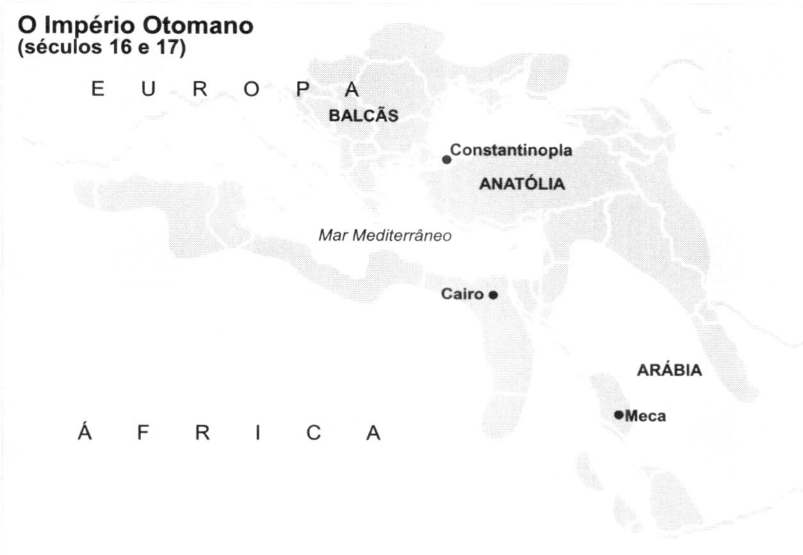

da Península Arábica, uns sete mil quilômetros ao sul. Dimensão essa que permitiu a ele, o Kanuni (o fazedor das leis), como chamavam-no seus vassalos, lançar-se na construção de inúmeras mesquitas, graças aos tributos e saques, aproveitando a genialidade do arquiteto Sinan. É o caso da mesquita Süleymaniye Camii, iniciada em 1550, que até hoje domina o perfil dos altos de Istambul, a antiga Constantinopla.

A decadência otomana

Dizem também que foram os dinares de ouro de Solimão, circulando nos principados certos, que garantiram a vitória do protestantismo na metade norte da Europa. A divisão da cristandade fora um claro objetivo da política externa dos turcos. Talvez por isso, o papa Pio V, um líder da Contra-Reforma, tenha resolvido puni-los, lançando a esquadra do bastardo imperial contra eles.

Seja como for, a morte de Solimão, o Magnífico, em 1566, e o fiasco de Lepanto, em 1571, foram as balizas que assinalaram a decadência dos otomanos. Para isso colaborou ainda uma fileira de sultões meio doidos que, com seu comportamento bizarro e má administração, debilitaram ainda mais a imagem do poder (o próprio sucessor de Solimão, o seu filho Selim I, era chamado de Selim, "O Bêbado").

A sensação de alívio que isso trouxe aos europeus é percebida na *Marcha Turca*, um rondó composto por Mozart em 1790, no qual a outrora sonoridade marcial dos ferozes janízaros turcos* reduziu-se a um divertimento de salão. Montesquieu e Voltaire, por sua vez, quando faziam menção ao "turco" era para associá-lo ao testa-dura, ao burrão, ao crente ignorante. Imobilizada em meio ao ascendente poder do Czarado na Rússia, ao Leste, e à opulência da Europa Ocidental, no Oeste, a Sublime Porta, como igualmente era chamado o poder turco, caindo no marasmo, jogada nas almofadas tragando o narguilé, acabou apelidada pelo Kaiser Guilherme como "o doente da Europa".

A revolução kemalista

A Sublime Porta foi sacudida do torpor opiático pela Revolta dos Jovens Turcos, em 1908, concluída muito depois pela revolução de Kemal Atatürk, de 1919-23. Este, general fundador da Turquia moderna, praticamente arrancando-a do medievo para os tempos atuais, fez com que o seu país fosse a primeira república do mundo do Islã. Perdido o império na guerra de 1914-18 – ocasião em que a Grã-Bretanha e a França anexaram-lhe as antigas províncias árabes –, Atatürk, "o libertador dos turcos", compreendeu que era preciso reformar a antiga sociedade otomana de cima a baixo. Autoritário e centralizador, entendeu que sem a instrução

* Os janízaros formavam uma tropa de elite dos otomanos composta em grande parte por órfãos cristãos treinados para servir ao sultão. (N. do A.)

das massas, sem estímulo ao conhecimento, sem a emancipação das mulheres não haveria a oxigenação necessária capaz de fazer da Turquia uma nação ocidentalizada. Disse ele: "...devemos prolongar nossas vitórias no campo da cultura, da escolaridade, da ciência e da economia... os benefícios das vitórias dependem somente da existência do exército da educação". O seu nome ficou gravado como um dos modernizadores autoritários do século XX, um daqueles estadistas não-ocidentais a quem o historiador Arnold Toynbee chamava *Homo mechanicus neobarbarus*, que empurravam seus países a golpes de força para dentro do mundo contemporâneo.

O kemalismo, a ideologia da república então recém-proclamada, varreu do cenário social os atos de submissão pública, os abomináveis suplícios físicos (a empalação foi proibida) e a idéia de que as leis deviam inspirar-se diretamente no Corão. Decretou a mais profunda reforma sociopolítica ocorrida até então na Ásia Menor. A iniciativa foi posteriormente imitada por Abdel Gamal Nasser, no Egito, em 1952, e por Karim Qassim, no Iraque, a partir de 1956 – ambos líderes políticos que trataram de secularizar as sociedades muçulmanas em que viviam. Situada na encruzilhada de dois mundos, o da Ásia Menor e o da Europa, a Turquia tenta agora fazer parte da Unidade Européia, dando assim o passo definitivo na política de ocidentalização iniciada por Kemal Atatürk há quase um século.

18

Britânicos na Ásia: a mancha da danação

Os ingleses são os agressores na Índia, e, apesar da nossa soberana [a rainha Vitória] *não cometer erro, os seus ministros cometem... o nosso objetivo na conquista da Índia, o objetivo de todas as nossas crueldades, foi o dinheiro... cada centavo foi retirado do sangue, enxugado e posto no bolso dos assassinos, mas não adianta enxugar o dinheiro: a mancha da danação não vai sair.*

General Charles Napier, o conquistador do Sind, 1842

Uma intriga de um jovem príncipe, desejoso de destituir Mir Rustan, o seu irmão mais velho, do trono do Beluquistão, na região do Sind (hoje província do Paquistão), serviu para que a Honorável Companhia das Índias Orientais – um polvo inglês que explorava a Índia – se decidisse por iniciar a conquista do Vale do Indo. Com tal intuito, enviou para lá, nos começos de 1842, o general Charles Napier, homem curiosíssimo que não carregava consigo nenhuma auto-ilusão a respeito do fardo do homem branco. Ele sabia que lutava por dinheiro e não para expandir a civilização, nem por nenhuma outra fantasia edulcorada que intelectuais ingleses como Rudyard Kipling criaram para justificar a espoliação da Ásia.

Napier e Burton

Napier desembarcou seus cinco mil homens em Karachi (na época um lugarejo sórdido, soçobrando na lama, mas hoje uma cidade com nove milhões de habitantes). A expedição foi reforçada pelo aventureiro e poeta Richard Burton, que atuou como assistente de Napier e oficial intérprete (ele falava urdu, mais 25 idiomas nativos e 40 dialetos). Dominada a embocadura do Indo, Napier subiu o rio (cujo vale foi berço da milenar cultura Harappan, que antecedeu em séculos a cultura indiana), em direção a Hiderabad, a capital do que restava do antigo Império Mogul. Em pouco tempo, todos os arredores do Indo, o *Fai Indo*, como é respeitosamente designado pelos indianos, foram postos ao saque das tropas inglesas e dos agentes da Honorável Companhia.

Batalhas devastadoras

O general inglês infligiu derrotas impressionantes aos exércitos beluquis e sinds que tentaram deter a sua marcha para o coração do Sind. Na batalha de Mlani, por exemplo, travada em fevereiro de 1843, as metralhas de Napier varreram da vida as nuvens de nativos que, em ondas, jogavam-se contra as tropas invasoras, matando cinco mil deles em dois dias. Cinco semanas depois, em março de 1843, foi a vez de seis mil nativos serem mortos em Dubba, quando ousaram atacar os canhões ingleses colocados em frente a Hiderabad, obrigando a jóia do Sind a abrir seu maravilhoso bazar de pérolas ao saque da Honorável Companhia, como os ingleses a chamavam.

A voracidade dos agentes britânicos em rapinar tudo o que podiam na região recém-conquistada era tanta que o próprio general Napier, além de denunciá-los por sua atitude (disse que eles era membros de uma *Shoppcracie*, um regime de mascates), reclamou de tal comportamento junto ao conselho de direção da empresa, em Londres. Logo acalmaram-no com um presente de 60 mil libras esterlinas (por isso Burton, que antes admirava Napier, não se furtou em agraciar o general com versos irônicos). De resto, o conquistador não economizou nem baionetas nem a força para submeter o Sind. Esse foi o motivo de ele ter sido lembrado em uma irônica charge publicada no periódico satírico *Punch*, de Londres, em 1843, na qual Napier aparece caminhando em meio a pilhas de cadáveres de indianos depois de uma batalha, interrogando-se em latim: *Peccavi!?* "Pequei?, fui eu quem fez isso?"

Nenhum dos 33 milhões de deuses que dizem a Índia possuir, nem o auxílio de Alá dos muçulmanos locais, foi suficientemente forte para deter a eficácia do rígido quadrado dos regimentos armados de metralha da Sua Majestade Britânica, movidos pela cobiça da Honorável Companhia. Aliadas, a Coroa e a Companhia dominaram com certa facilidade aquela antiga civilização oriental.

A conquista do Sind, na beira do mar Arábico, onde hoje é o Paquistão, seguida da conquista do Punjab, bem mais para o interior, foi uma espécie de compensação que os britânicos encontraram para cobrir as perdas, humanas e financeiras, que tiveram na desastrada campanha contra o Afeganistão entre 1839-42.

Ainda que os conquistadores tenham posto fim ao terrível costume da *sati* (ritual no qual as viúvas e favoritas obrigatoriamente eram incineradas ao lado do marido morto), o general Napier e seus oficiais foram continuamente censurados em editoriais do *Times* de Bombaim por não terem desmanchado os haréns dos emires derrotados, ficando com as mulheres para eles.

De certo modo, um comportamento compreensível. Podese até afirmar que os ingleses descobriram o que era a sensualidade durante a ocupação da Índia (1757-1947)*. Os pobres súditos vitorianos, vindos da Europa, estavam até então acostumados com aqueles varapaus puritanos que tinham em casa (que olhavam para o leito nupcial como a um altar sacrificial, em um tempo em que as

* A Índia caiu sob controle britânico desde a vitória do tenente-coronel Clive na batalha de Plassey (1757), sobre Surajh, o nababo de Bengala. Em pouco mais de um século, todo o continente foi submetido aos colonialistas, que, para tanto, travaram cinco guerras contra o Misore, três guerras contra os Maratas e mais duas outras no Rohilla. (N. do A.)

moças inglesas eram aconselhadas pelas mães, que lhes diziam "fique quieta, olhe para o alto e pense no Império"). Evidentemente, deslumbraram-se com o erotismo das *devadasis* e as *kanyaris*.

As belíssimas bailarinas indianas, com seus contorcionismos, pele quente e olhares de serpente, supra-sumo da beleza, elegância e sensualismo da mulher oriental, foram promovidas a ser *bubu*, amantes ou concubinas dos oficiais britânicos. E, no que toca à literatura, quem abriu para eles as portas desse mundo desconhecido, estranho e lascivo foi exatamente Richard Burton, o homem de Napier no Sind. Ao traduzir as *Mil e uma noites* e o *Kama Sutra*, o erudito e aventureiro que "sonhava em mais de trinta idiomas" foi talvez o mais remoto responsável histórico pela liberação dos costumes na Grã-Bretanha.

19
Tolstoi na Chechênia

Que energia e que força vital!, disse para comigo, pensando naquilo que me custara arrancar o cardo. Como vendem cara a sua vida! Como lutou para defendê-la!

Leon Tolstoi – *Hadji Murad,* 1896

Retornando para a *Iasnaia Poliana*, a sua tão famosa propriedade, Leon Tolstoi deparou-se, à beira do atalho que tomara, com um exuberante cardo tártaro. Atraído pela beleza da flor, cismou em arrancar a planta por inteira. Puxou, puxou, até que em um gesto mais vigoroso extraiu-a com raízes e tudo. Ufa! Que obra! A teimosia do cardo em ater-se ao chão fez com que, aos poucos, Tolstoi recordasse da gente do Cáucaso. Quando era jovem, servira lá como artilheiro, entre 1851-54, enfrentando a resistência do líder checheno Chamil, que se estendeu até 1859. Como o cardo tártaro que o desafiara, aqueles montanheses – os chechenos, os inguches, os circassianos, os bats, os ossetianos, os azires e mais cinqüenta outros tantos grupos étnicos – batiam-se até o fim contra qualquer tentativa de remoção.

Entrando em casa, Tolstoi sentou-se na sua escrivaninha e, tomando a pena, deu-se a narrar a fascinante história de Hadji Murad – um lendário personagem, um naib, um misto de chefe clânico e valentão foragido da lei, daquele canto perdido do sul da Rússia. Imagino ter sido Tolstoi quem introduziu o Cáucaso na literatura do seu país, como uma espécie de faroeste dos russos.

Áspero e com altíssimos picos pedregosos, cercados por incríveis despenhadeiros, o Cáucaso, esta cordilheira que liga os dois mares da Ásia Menor, o Cáspio e o Negro, uma das esquinas do mundo, é uma torre de Babel. A confusão de falas que lá impera é tamanha que os historiadores árabes chamaram-na de *Jabal al-Alsine*, a "Montanha das línguas". A região começou a cair no controle do Império Russo em 1723, quando Pedro, o Grande, venceu uma curta guerra contra o xá da Pérsia. Alguns anos antes desta vitória, o czar enviara para lá, para o Cáucaso, a missão Volynsky, imaginando que do mar Cáspio, que o envolve pelo leste, partia um rio em direção à Índia, o que abriria as portas do rico comércio com o Oriente.

Morto logo em seguida à conquista, Pedro não viu nada dessa riqueza. Porém, no século XIX, os russos sentiram-se compensados: ao redor de Baku, no atual Azerbaijão, passou-se, a partir de 1872, a explorar um dos mais prodigiosos lençóis petrolíferos até então conhecidos. Foi isso que atraiu para lá, durante a Segunda Guerra Mundial, o 1º Exército Panzer do general von Kleist, que ocupou a Chechênia, em julho de 1942 (chegando, com a entusiasmada adesão dos habitantes locais, a erguer a bandeira nazista no monte Elbrus, o pico mais elevado do Cáucaso).

A longa duração do domínio que os russos exerceram sobre o Cáucaso, e que provavelmente ainda exercerão mesmo que atualmente debilitados, encontra sua explicação na própria leitura do *Hadji Murad* de Tolstoi. As intensas rivalidades tribais, a existência de religiões conflitivas (cristã e muçulmana, sunita e xiita) e a proximidade de duas poderosas nações islâmicas (a Turquia e o Irã) fizeram com que o fortim russo encravado lá desde o século XVIII, como um sentinela de plantão, fosse visto por muitos caucasianos, particularmente os de fé cristã, como um mal menor – senão como o único capaz de garantir uma certa ordem e uma relativa paz ao caos histórico em que quase sempre os caucasianos viveram.

Mesmo assim, que se precavessem os russos. O czar Pedro, nas suas instruções ao príncipe Boris Kurkhistanov, o representante imperial no Cáucaso, recomendou-lhe que se lidasse bem com as tribos locais, não lhes causando "constrangimento nem rudeza". Mas, caso isso não funcionasse com aqueles povos orgulhosos, que fosse severo com eles, porque, ao final das contas, "*oni ne takoi narod, kak v Evrope!*", isto é, não pertenciam às nações européias.

Com a flor do cardo despedaçada na palma da mão, Tolstoi lamentou-se. Esganara a pobre planta para nada. Contemplando o estrago, vendo-a esmaecida e moribunda, deu-se conta de que seu esforço só a desgraçara. De certa forma, esta é a situação do exército russo na Chechênia, repetindo com as armas o que o grande escritor, em um equívoco, fizera com as mãos.

20
Eça em Alexandria

O Egito é um país de passagem. Tudo ali passa, tudo ali repousa... Tudo para ali emigra, até os pássaros, porque tudo o que tem asas... foge para o velho Egito.
Eça de Queiroz – *O Egypto,* 1869

"Que desencanto", suspirou Eça de Queiroz. Então era aquilo a tão celebrada Alexandria? Por todo o lado por onde a vista alcançasse, dava-se com prédios em ruínas e lodo nas ruas. Mal ele e o seu amigo, o conde de Resende, desembarcaram na cidade dos Ptolomeus, toda a mística que dela faziam escorreu pelos ralos. Os dois rapazes haviam partido de Lisboa em outubro de 1869 para assistir à festança da inauguração do canal de Suez, o canal do dr. Lesseps (como se chamava o seu construtor). Aportaram primeiro em Alexandria. E tudo para ver aquilo! As ruas tomadas por aquela gente esquálida, escurecida pelo sol bravo e seco da terra, com a cabeça envolta em turbantes coloridos, sujos, andrajosos, obedientes ao turco de rebenque, que volta e meia lhes esquentava as costas com uma ou outra lambada. Um horror.

Os antigos monumentos, a Coluna de Pompeu (que de fato era de Domiciano) e as Agulhas de Cleópatra, tinham sido tomados pela hera e pelas moscas. Nem pensar em encontrar um vestígio sequer da maravilhosa biblioteca que abrigara por séculos a sabedoria do mundo antigo. "Onde estão os teus quatro mil banhos, os teus quatro mil circos e os teus quatro mil jardins?", perguntava Eça, aos tropeços pelas vielas encardidas, quase que desconcertado. A única coisa solene que passou pelo escritor português naquelas ruas miseráveis foi um altivo camelo que, na corcova, levava uns alforjes como se fosse o tesouro de Ramsés.

Talvez o pior fosse ver a cara inexpressiva da multidão, quase toda atacada pelo que os árabes chamam de *kiéf*, um estado de "desmaio vivo", de apatia idiota, lembrando um vegetal. Onde andaria, pois, a tão bela Alexandria? Que fim levara a lendária capital do helenismo? O que resultara dos trabalhos do sábio Ptolomeu, ou das idéias das hipérboles, das parábolas e das elipses daquela fabulosa matemática que foi Hypatia de Alexandria? Onde estava aquilo tudo? Sim, porque o que Eça viu por lá era só um monumento à imundície e ao abandono.

Renascendo das águas

Pois recentemente descobriu-se um pouco da grandeza que cercou Alexandria. Do Egito chegou-nos a notícia de uma descoberta sensacional. Depois de dois anos de incontáveis mergulhos feitos nas águas que banham as proximidades da grande cidade, um grupo de trinta arqueólogos subaquáticos, liderados pelo francês Franck Goddio, deparou-se com três antigas cidades há muito desaparecidas: Heráklion, Canopus e Menouthif, submersas nas profundezas do Mediterrâneo em data remotíssima, mas ainda imprecisa (estima-se que 1.600 anos atrás).

Por isso, Eça nada encontrara. A Alexandria que ele havia imaginado desaparecera soterrada na sordidez terceiro-mundista. A verdadeira Alexandria, a cidade dos amores de César, de Marco Antônio, de Cleópatra, pelo menos uns pedaços afastados dela, resolveu, por assim dizer, antecipar-se, jogando-se no mar para preservar-se do destino atroz reservado às cidades subdesenvolvidas.

Supõe-se que a Heráklion mencionada deve ter sido fundada por colonos ou mercadores cretenses, o povo do rei Minos (aquele que edificou um palácio em Knossos de cujo porão, um labirinto, ninguém conseguia sair), e que, vindos de uma cidade do mesmo nome na ilha de Creta, instalaram-se no Egito bem antes da chegada de Alexandre, ocorrida em 331 a. C. Mas até agora o ponto alto dos achados foi o resgate de uma estátua, ainda que mutilada, da deusa Ísis, de 1,5 metro, cujas linhas femininas lembram a Vênus de Milo. Uma verdadeira sílfide egípcia de beleza invulgar, esculpida, é de supor-se, com a técnica grega de um Fídias*, em que um delicado véu de gaze finge cobrir as generosas formas da divindade.

Com a descoberta e o alvoroço provocados pela escultura, Alexandria voltou à vida. Que contraste entre o que agora se encontrou no fundo do mar e aquilo que Eça vira ao vivo, quase um século e meio antes, ao perambular por lá. Que espanto o teria acometido se, em vez de ter-se entrevistado com Bey (um turcão gorducho, ensebado e banhado em suor, um dos ministros do Paxá, que ele e o conde de Resende visitaram no Banco do Egito), tivesse o escritor se deparado em um logradouro qualquer da cidade com esta soberba deusa Ísis que agora se achou. Talvez, longe de deixar a cidade reclamando de ela ser "fastidiosa e pesada", ele teria nos propiciado um outro relato, bem mais faceiro e verboso do que aquelas poucas linhas cáusticas que ele escreveu sobre a outrora tão grandiosa Alexandria.

* Fídias (490 a. C.-431 a. C.), escultor ateniense considerado o artista culminante do classicismo grego. Dirigiu as obras da Acrópole. (N. do A.)

21
Madhi, o esperado

Nos decênios finais do século XIX, entre os anos de 1881-1898, o Sudão, hoje o maior país da África, conheceu uma rebelião popular de cunho religioso contra o Império Britânico – rebelião esta que conseguiu se manter em Cartum por bem mais de dez anos. O seu líder autodesignou-se como o Madhi, o esperado, apresentando-se como o messias, o salvador do povo núbio, aquele que vinha para purificar o Islã das nocivas influências do domínio cristão e dos que colaboravam com ele.

A aparência externa dele era extremamente fascinante, pois era um homem de forte constituição e de uma compleição muito escura, sempre mantendo um sorriso tranqüilo na face. Ele tinha dentes muito brancos, e havia um espaço entre os dois da frente, o que era considerado no Sudão como sinal de muita sorte. O seu modo de conversar também tinha, graças ao treino, algo de agradável e doce.

(Padre J. Ohrwaled, que foi prisioneiro do Madhi, 1892.)

A família dele era considerada próspera para os padrões do Sudão. Construíam barcos na beira do Nilo. Mohammed Ahmed Ibn Seyyid Abdullah, ou simplesmente Mohammed Ahmed, dizem que desde muito cedo sentiu-se atraído pelo chamado de Alá, indo estudar as Sagradas Escrituras em Cartum, então capital da mais meridional das províncias do Egito. Não demorou muito para ele aderir, em 1861, à seita sufista *Sammaniyya*, mergulhando fundo nos mistérios das escrituras herméticas. Devoção e dedicação completa fizeram com que Ahmad logo conquistasse o título de xeque, autorizado a dar *Tariqa* e *Uhuud*, os sinais de iniciação, a quem o seguisse.

Sudão, uma terra desolada

Dez anos depois, em 1871, ele instalou-se com a família na ilha de Aba, no oeste do Sudão, onde mandou erguer uma mesquita. Pouco tardou para adquirir fama de homem santo. Pôs-se a viajar pelo país. Fatigou suas sandálias visitando Dongola, ou quando baixou pelo Nilo Azul. Dirigiu-se para Cordofan, no extremo leste, e também para Sinar, no pólo oposto. Em toda parte daquela terra desolada, açoitada por tempestades de areias e secas terríveis, ele ouviu queixas contra o governo turco-otomano do Egito, cujas autoridades demonstravam desprezo pelos ritos muçulmanos e enorme subserviência aos ingleses. Não sabia o homem santo, perguntavam a ele nas aldeias, se um Salvador não estaria para vir?

Então Ahmed, de volta à ilha Aba, começou a ter visões, a ouvir sons estranhos, a atentar para ruídos e chamados noturnos: vozes sussurrantes, mensagens do além. Os primeiros a saber da nova foram seus próximos. Sim, ele era o Madhi! O Messias, o esperado!

O messianismo islâmico

Uma forma popular de islamismo, tanto sunita como xiita, acreditava que o décimo segundo imã, desaparecido há séculos, não morrera. Estava oculto em algum lugar esperando o momento certo para o retorno. A crise em que a região se encontrava, com a presença cada vez mais maciça dos interesses do colonialismo ocidental rondando o mar Vermelho e as margens do Nilo – o Sudão, mesmo sendo um deserto árido, estava sendo disputado por ingleses, franceses e italianos –, fez com que Ahmad acreditasse que ele fora iluminado. Deveria marchar para Cartum, para o Cairo e, por fim, para Jerusalém, para esperar a chegada do Profeta. Antes era preciso expulsar os infiéis da terra muçulmana. Que os agentes de satã desertassem das terras árabes.

O grito pela *jihad* deu-se em 1881. Dos mais remotos lugarejos do Sudão começaram a chegar ao acampamento do Madhi os guerreiros santos. Eram dervixes que, em camelos e cavalos, vinham armados com rifles de cano longo e de culatra enfeitada com prata. Muitos deles ainda com escudos e lanças, acreditando-os armas suficientes para espantar os heréticos. As primeiras forças que o quediva, o vice-rei do Egito – a aquelas alturas controlado pelos britânicos –, enviou para reprimi-los foram facilmente desbaratadas pela gente do Madhi.

Ahmed acreditava que a purificação do Islã passava por um severo expurgo dos costumes depravados que os ocidentais traziam com o seu comércio e a sua administração, bem como por uma faxina completa na gente que aderia a eles. A situação dos europeus em Cartum ficou desesperadora. Londres, então, resolveu enviar para lá o general Gordon, o Gordon *Pasha*, a espada-mor do império. Conhecedor profundo da região, fora governador do Sudão em 1874-80, mas, lá chegando, pouco pôde fazer. Se bem que tentou algumas expedições partindo de Cartum, viu que a situação geral era de hostilidade total aos britânicos. Ainda ensaiou, em um misterioso encontro no acampamento rebelde, subornar o Madhi ofertando-lhe o título de sultão de Cordofan, mas o messias replicou que só aceitaria o posto se o general Gordon se convertesse ao Islã.

Cartum sitiada e tomada

Fracassada a negociação, Gordon decidiu fazer da capital uma fortaleza inexpugnável, fazendo-a ter acesso somente pelo rio Nilo e plantando minas terrestres pelos subúrbios. Ao redor da cidade, os dez mil seguidores do Madhi deixavam poucas esperanças de socorro aos sitiados. Conforme fora previsto em um sonho pelo Madhi, então recolhido a uma caverna, o envio de ajuda a Gordon Pasha atrasou-se com a batalha de Abu Klea, travada em 17 de janeiro de 1885, quando o quadrado da infantaria britânica foi violado pelo ardor dos dervixes. Ao avistar Cartum, no dia 28 de janeiro de 1885, o general Wilson, o comandante da expedição salvadora, percebeu que não chegara a tempo. A cidade havia capitulado dois dias antes.

O pouco que se sabe dos estertores da resistência da guarnição é um relato feito por um mercador chamado Bordeini Bey, testemunho dos derradeiros dias de Cartum. Nos instantes finais, vendo tudo perdido, Gordon teria encarregado o negociante de dizer aos outros que: "*No momento em que Deus distribuiu o medo pela gente do mundo, não havia mais medo para dar a mim. Vá e diga ao povo de Cartum que Gordon não teme nada, porque Deus o criou sem medo!*".

O fim de Gordon e do Madhi

O assalto final dos madhistas dera-se no dia 26 de janeiro de 1885, no 320º dia da resistência. Consta que os dervixes reconheceram o general em meio à confusão da tomada da cidade, matando-o com uma fuzilada quando o viram no alto de uma escadaria. A cabeça de Gordon, enfiada no alto de uma lança, foi levada em meio ao tumulto da vitória dos sudaneses. O messias, por sua vez, não viveu muito para saborear o sucesso, pois morreu em seguida, supõe-se que de tifo. Tinha 41 anos. O madhismo, entretanto, sobreviveu-lhe. Somente treze anos depois, em 1898, lord Kitchener, comandando uma enorme expedição – na qual encontrava-se o jovem Winston Churchill –, recuperou o Sudão para o Império Britânico. As palavras do Madhi, por sua vez, com seu apelo por uma guerra santa contra o Ocidente, deitaram raízes profundas no coração do povo do Islã – como se vê até os dias atuais.

22
Muçulmanos e americanos

A população norte-americana foi tomada da mais completa surpresa pela violência dos atentados de 11 de setembro de 2001, quando não só as Torres Gêmeas do World Trade Center, em Nova York, foram atingidas, como o prédio do Pentágono em Washington foi atacado – desastres todos cometidos por vôos suicidas de jovens árabes muçulmanos, a maioria deles de origem saudita, em missão de vingança. O espanto todo deveu-se em grande parte ao fato de a população não saber ou não ser suficientemente instruída de que os Estados Unidos movem há muito tempo, em várias partes do mundo, uma guerra esporádica contra os islâmicos. Uma guerra que, com suas idas e vindas, já completou um século.

Os mouros das Filipinas

> *Por que vocês vieram até aqui? Pela terra? Vocês têm de tudo em casa. Pelo dinheiro? Vocês são ricos, enquanto eu sou pobre. Por que vocês estão aqui?*
>
> O sultão muçulmano de Sulu, nas Filipinas, inquirindo o general americano Woods, 1902.

Certamente, não fosse o desembarque espanhol na baía de Manila, em 1521, e a subseqüente ocupação do enorme arquipélago das Filipinas (nome dado em homenagem ao rei Felipe da Espanha), as 7.100 ilhas que o compõe teriam se convertido à fé maometana. Desde o século XIII, a religião de Alá viera se espalhando pelo sudeste do Pacífico, e já havia conquistado a península da Malásia e as ilhas da Indonésia inteiras quando foi bloqueada pelos padres espanhóis. Desde que foram violentamente reprimidos pelos conquistadores cristãos em uma rebelião, em 1576, os muçulmanos tiveram de contentar-se em ficar com as ilhas de Mindanao e Sulo, integrantes da parte meridional do arquipélago filipino. Desde então, as Filipinas converteram-se em mais uma das tantas fronteiras entre o Crescente e a Cruz, separadas por um profundo ódio teológico.

Quando Manila veio a cair nas mãos dos norte-americanos, na época da guerra hispano-americana de 1898, os novos senhores das ilhas herdaram os desentendimentos com os muçulmanos estabelecidos no sul. Viviam eles em uma área que os americanos batizaram de "Moroland", que nada mais era do que uma confederação dos sultanatos islâmicos de Sulu, Maguindanao, Buayan e Maranao. Ao passo que os espanhóis tiveram uma atitude complacente para com quem eles chamavam de "mouros" – lembrança da luta contra a presença árabe na Península Ibérica –, os americanos seguiram outra linha de ação.

Origens da primeira guerra contra os mouros

Após ter sufocado a ferro e fogo o levante nacionalista de Aguinaldo (1899-1901), que pegara em armas contra os americanos para fazer das ilhas Filipinas um país independente, o governador, geral ocupante fixou um tributo a ser cobrado em todo o arquipélago. O presidente norte-americano William McKinley (que governou de 1897 a 1901) dissera, para acalmar o forte movimento antiimperialista que saíra em altos brados pelas ruas de Boston, Chicago e Nova York, contra a repressão aos filipinos, que o seu governo não ambicionava fazer das Filipinas nenhuma colônia de exploração, mas apenas convertê-la em um experimento da civilização americana. Mesmo assim, acreditou ser justo que cobrassem alguma coisa daqueles selvagens pelo serviço a ser feito. Segundo suas próprias palavras, a *Benevolent Assimilation*, a política da assimilação benevolente, entendia que: "*The Philippines are not ours to exploit, but to develop, civilize, educate and train for self-government*" ("As Filipinas não são nossas para explorar, mas para serem desenvolvidas, civilizadas, educadas e treinadas para o autogoverno.").

Foi por essa razão, pela exigência de uma política geral de impostos, que se desencadeou a primeira guerra dos americanos contra os muçulmanos. O sultão de Sulu, uma das ilhotas próximas a Mindanao, um pequeno rei de pobres, jurara que um dos agentes americanos havia isentado o seu povo de qualquer taxa ou exação, além de ter prometido seguir a prática dos espanhóis, deixando-os em paz. Peremptoriamente negou-se a passar qualquer coisa para os novos senhores, fosse em sonante ou em espécie. Além disso, os americanos que perambulavam pelas aldeias dos mouros, muitas vezes montando os seus bivaques próximos a elas, começaram a ser abertamente hostilizados. Durante a sua estada naquelas selvas, os fuzileiros enfureciam-se particularmente com o ataque inesperado dos amuks, homens suicidas armados com a *kris*, uma pequena adaga malaia de fio duplo que era carregada embaixo da camisa e que provocava dolorosos e mortais ferimentos nos soldados. Ou ainda com os atentados movidos pelos juramentados, aqueles muçulmanos considerados mártires que premeditavam ações antiamericanas com arma branca. Por considerarem a presença dos americanos nas ilhas algo herético, não demoraram em declarar-lhes a Jihad, a guerra santa contra o invasor.

Guerra sem quartel e sem perdão

Grupos de guerrilheiros logo surgiram. A situação ficou tão incontrolável que os americanos partiram para operações de extermínio. O professor Richard E. Welch, do Colégio Lafayette, escreveu que as táticas da guerrilha resultavam de uma mente inferior, um recurso de uma raça pobre. O general Arthur MacArthur, por sua vez, assegurou que, devido à guerrilha ser contrária aos costumes usuais de guerra, os que fossem capturados não tinham nenhum dos privilégios dos prisioneiros de guerra. Nada de estranhar-se, então, que a ordem dada pelo general Jake Smith aos seus fuzileiros tenha sido a telegráfica "*Kill and burn*", matem e queimem!, ordenando ainda "*Kill every one over ten*", que matassem todos acima dos dez anos de idade. As tropas não se fizeram de rogadas. O cenário paradisíaco daquelas ilhas não demorou a encher-se com a fumaça dos canhões, com o vapor das canhoneiras e das choças em chamas e com o sangue daqueles pobres-diabos. Os mouros, ingênuos, inutilmente escondiam-se atrás das *cottas*, barreiras de bambus com que rodeavam suas aldeias. Na ilha de Jolo, por não quererem render-se, eles se refugiaram no alto da cratera de um vulcão extinto, o Bud Dajo. Os americanos, em março de 1906, articulados pelos disparos feitos do navio Pampanga, cercaram e mataram todos eles a rajadas de metralhadora Maxim e com uma carga final de baionetas. Dos mil homens, mulheres e crianças, só seis sobreviveram. Tragédia que se repetiu no Bud Bagsak em junho de 1913, quando mais de quinhentos mouros foram liquidados nas operações militares dos fuzileiros navais. Tal acontecimento faz um século. E os americanos dizem não saber por que são odiados pelos muçulmanos.

23
As crises do petróleo

Desde o século XVI, o principal motivo das expansões marítimas e das atividades econômicas européias foi a busca do ouro, como bem se sabe. Reis, navegantes, soldados e mercadores de Portugal, da Espanha, da Holanda e da Inglaterra lançaram-se na localização e exploração do precioso mineral em qualquer parte do mundo.

Entretanto, a partir do século XIX, um outro tipo de ouro vai atiçar a cobiça humana. Visitando a Pensilvânia em 1859, George Bissel encontrou um lençol de petróleo, dando então a largada à grande corrida universal atrás do valioso ouro negro – combustível que se tornou a fonte energética da modernidade.

A revolução dos transportes

Na maior parte do século XIX, extraía-se do petróleo apenas o querosene para a iluminação. Porém, com o advento da indústria automobilística (Ford fabricou o seu primeiro modelo em 1896), da aeronáutica (os irmãos Wright voaram com motor a combustão em 1903), somadas à expansão naval, o petróleo tornou-se o principal produto estratégico do mundo moderno, fazendo com que as maiores cem empresas do nosso século estejam ligadas direta ou indiretamente a ele. Os nomes de John Rockeffeler (que fundou a Standard Oil em 1870), Paul Getty, Leopold Hammer, Alfred Nobel, Nubar Gulbenkian e Henry Ford tornaram-se mundialmente conhecidos por estarem associados ao petróleo ou ao automóvel.

Ao contrário da época da Revolução Industrial dos séculos XVIII e XIX, ocasião em que a maioria dos países hoje desenvolvidos deram começo às suas plantas fabris baseadas essencialmente na presença do carvão, mineral que todos os países possuíam em abundância, a Revolução dos Transportes do século XX deu-se em um outro cenário estratégico. De um lado do mundo, nos Estados Unidos e na Europa Ocidental, concentraram-se as principais fábricas de veículos, enquanto que a extração do combustível que lhes dá sustento, o petróleo, ficou fundamentalmente circunscrita ao quadrilátero árabe e ao Golfo Pérsico, milhares de quilômetros distantes dos centros mais importantes de consumo. Daí haver repercussão mundial a cada momento em que esta relação entre os campos petrolíferos do Oriente Médio e os mercados dos países do Primeiro Mundo se desestabiliza, ameaçada por guerras, golpes ou revoluções.

A crônica das crises do petróleo

As principais crises do petróleo – todas elas depois da Segunda Guerra Mundial – que abalaram de algum modo a economia do planeta por terem interrompido o fluxo do seu fornecimento mostraram um cruzamento de conflitos. Podemos dividir essas crises em duas espécies: a primeira delas ocorreu entre os Estados nacionais em formação no mundo árabe e as grandes empresas multinacionais euro-americanas, visando diretamente ao controle do processo produtivo e distributivo. Tratou-se de uma luta em torno do dinheiro e do poder. As crises de segundo tipo deram-se em uma etapa posterior, envolvendo os países produtores e os países consumidores. Como não poderia deixar de ser, a enorme concentração de riqueza que se encontra no subsolo do Oriente Médio fez daquela região um campo de garimpeiros, local onde todos os tipos de paixões – da colonialista à nacionalista – se conflituam, envolvendo a região em intermináveis confrontos de toda ordem e gerando crises cíclicas de instabilidade.

A extração dos recursos petrolíferos no Terceiro Mundo começou em 1908 com a descoberta de lençóis petrolíferos no Irã. A partir disso, toda a região ao redor do Golfo Pérsico começou a ser explorada. Iniciou-se naquela época uma política de concessões para extração de petróleo autorizadas pelo xá do Irã e pelos xeques das tribos árabes às grandes companhias estrangeiras, particularmente inglesas (Anglo-Iranian) e americanas (Texaco, Mobil Oil, Esso, Standard Oil). Dois fatores desde então fizeram com que o petróleo passasse a ser estratégico. Em 1896, Henry Ford começou a produzir o primeiro veículo automotor em série, inaugurando a era da moderna indústria de veículos de transporte. O aumento do consumo de gasolina e óleo daí decorrente impulsionou a prospecção e a busca de mais poços de petróleo, tanto nos Estados Unidos como no exterior. O outro fator que levou o petróleo a tornar-se o negócio do século, de importância estratégica fundamental, deu-se com a decisão tomada por Winston Churchill, entre 1911-1914 – quando ministro da Marinha inglesa, a maior do mundo –, de substituir o carvão pelo óleo como energia para os navios da Royal Navy.

O poder das empresas petrolíferas

De 1908 a 1950, as grandes companhias petrolíferas, chamadas de as Sete Grandes, formaram verdadeiros impérios, abraçando todas as zonas produtoras de petróleo espalhadas pelo mundo. Foi a época de ouro delas. Atuando como verdadeiros Estados dentro do Estado, elas possuíam sua própria política externa, suas linhas de aviação e comunicação completamente independentes do país onde estavam as suas sedes ou onde eram realizadas a extração do óleo. Geralmente seus administradores e gerentes eram os homens mais importantes do país hospedeiro, quando não os seus verdadeiros governantes. Os Estados nacionais onde essas companhias atuavam eram neocoloniais, totalmente dependentes, sem poder ou força para disputar o controle da riqueza nacional.

A eclosão do nacionalismo

Essa situação começou a se inverter a partir da Segunda Guerra Mundial. As antigas potências colonialistas (Inglaterra, França e Holanda) perderam suas energias na guerra. Um forte movimento autonomista teve início então no Terceiro Mundo. No Irã, a partir de 1951, deu-se a mais grave crise até então vista, devido à política de estatização do primeiro-ministro Mossadegh, que nacionalizou os poços da British Petroleum. A CIA, atuando em conjunto com o MI-6, o serviço secreto inglês, em uma operação conjunta desencadeada em 1953, conseguiu reverter a situação. Mossadegh foi deposto e preso pelos que apoiavam o xá Reza Pahlevi. Com o sucesso do golpe dos anglo-saxões, o xá colaboracionista foi novamente entronado. Mesmo tendo fracassado naquela ocasião, a posição nacionalista de Mossadegh serviu de exemplo. Ela foi o ponto de partida para uma série de enfrentamentos que se seguiram entre os Estados nacionais do Oriente Médio, que começavam a se fortalecer contra o poder das Sete Grandes. Gradativamente, no transcorrer das décadas de 1950 e 1960, as empresas estrangeiras viram diminuir as suas regalias, sendo obrigadas a aceitar o Pacto dos Cinqüenta mais Cinqüenta, que tornava os Estados nacionais árabes e iranianos sócios em condição de igualdade.

A segunda crise do petróleo deu-se por motivos não ligados diretamente ao petróleo. Aconteceu em 1956, ano em que o presidente do Egito, Gamal Nasser, nacionalizou o canal de Suez, passagem de enorme importância estratégica para o negócio petroleiro que até então estava em mãos de uma companhia anglo-francesa formada nos tempos colonialistas. Devido à intervenção militar de tropas inglesas e francesas, apoiadas ainda por uma ofensiva israelense sobre o Sinai, ocorreu em represália um boicote do fornecimento de petróleo por parte do mundo árabe. Situação que rapidamente foi contornada pelos Estados Unidos e pela URSS, que, não aceitando aquela última aventura do colonialismo, exigiram que a ocupação do Suez cessasse imediatamente*.

A terceira crise internacional do petróleo decorreu da Guerra dos Seis Dias, no ano de 1967, quando Israel travou uma guerra fulminante e vitoriosa contra os seus vizinhos. Mas a mais grave, a quarta, deu-se por ocasião da Guerra do Yom-Kippur, quando os países árabes produtores de petróleo, então organizados no cartel da OPEP**, decidiram aumentar o preço do barril de petróleo (de US$ 2,90 para US$ 11,65). Essa última crise assinalou uma mudança substancial do conflito, pois não se tratava mais de um enfrentamento entre Estados nacionais e as multinacionais do petróleo, mas entre os principais produtores e os seus maiores consumidores.

A quinta das grandes crises resultou da espetacular deposição do xá Reza Pahlevi, em 1979, obra da Revolução Xiita, que desorganizou todo o setor produtivo do Irã. Crise que se estendeu até 1981, fazendo com que o preço do barril saltasse de US$ 13 para US$ 34 . Ou seja, 1.072% em relação ao preço de 1973.

---

*A posição dos Estados Unidos, tendo então o general Eisenhower na Presidência, era naquela ocasião francamente anticolonialista. Consta inclusive que ele conseguiu que o primeiro-ministro britânico Harold MacMillan evacuasse seus soldados do Egito depois de um enérgico telefonema dado de Washington. (N. do A.)

** Fundada em Bagdá em 1960, a OPEP (Organização dos Países Exportadores de Petróleo), conhecida como o cartel do petróleo, somente conseguiu marcar presença a partir da guerra árabe-israelense de 1973, ocasião em que o boicote seguido de um substantivo aumento de preços provocou inflação e retrocesso econômico nos países ocidentais dependentes de petróleo. (N. do A.)

Dados sobre o petróleo*

Calcula-se que exista 1 trilhão de barris (1 barril = 159 litros) de petróleo nos subsolos do mundo. Até 1990, já haviam sido extraídos 43,4% deste volume.

A produção mundial anual atinge 24 bilhões de barris. Deste total, consomem-se 23 bilhões de barris, e 1 bilhão vai para os depósitos. Os EUA produzem 13% desse volume; a Europa Ocidental, 6%; o Golfo Pérsico, 27%; os outros, 54%.

As reservas existentes no mundo inteiro são calculadas em 137 bilhões de toneladas (67% delas encontram-se no Oriente Médio).

Principais consumidores de petróleo: os EUA consomem 33 barris/per capita/ano; a Europa, 22; a Coréia do Sul, 16; o Brasil, 4; e a Índia e a China, juntas, menos de um barril/per capita/ano.

* Dados do ano de 2003. (N. do A.)

24
O Iraque e o sonho de Lawrence da Arábia

Em Oxford, eu sonhava em dar forma, enquanto vivesse, à nova Ásia, que o tempo estava nos trazendo inexoravelmente. Meca devia levar a Damasco. Damasco a Anatólia e, depois, a Bagdá. E ainda havia o Iêmen. Tudo isso pode parecer fantasia, aos que são capazes de chamar meu começo de um esforço comum.

T. E. Lawrence – *Os sete pilares da sabedoria,* 1926.

Na rota final da Primeira Guerra Mundial, um exército anglo-saxão com base no Kuwait expulsou os remanescentes das forças turcas em março de 1917, ao entrar em Bagdá. Em Londres, o povo e o governo exultaram. A mágica cidade das Noites Árabes tornava-se mais uma jóia da coroa dos bretões. O general Maude, o seu conquistador, vingava assim uma grave humilhação sofrida um ano antes, em maio de 1916, quando uma força inteira do exército colonial britânico, comandada pelo general Townshend, depois de ser sitiada por cinco meses pelos otomanos, rendera-se, em Kut-el-Amara. Agora, a Medina Bagdá era do ingleses. No 1º de outubro do ano seguinte, em 1918, foi a vez de Damasco, a grande cidade da Síria, cair nas mãos da Divisão Montada dos australianos, sob o comando do general Allenby .

Não muito longe dela, em Deraa, Lawrence da Arábia – o oficial de ligação inglês que fora mandado para o deserto para rebelar as tribos contra os turcos – reuniu seus guerreiros beduínos para participar da marcha triunfal pelas ruas de Damasco. Todo o Crescente Fértil e seus arredores caíram nas mãos do império britânico, tudo doravante lhes pertencia, das tâmaras às jazidas do ouro negro. Para motivar os povos do deserto a auxiliá-los naquela luta contra o Império Otomano, os agentes britânicos haviam assegurado a eles, aos povos do deserto, do xeque ao felá, que, terminada a guerra, os vinte milhões de árabes teriam a sua independência. Não demorou muito para que estes se vissem enganados.

Os mandatos

No Tratado de Sèvres, assinado em 1920, os aliados vencedores da guerra, ao redesenharem o mapa do antigo Império Otomano derrotado pela França e pela Grã-Bretanha, transformaram as áreas árabes em "mandatos" (o nome envergonhado que o colonialismo criara para disfarçar o seu domínio sobre os países da região). Confirmava-se assim o que Lawrence anotara nos seus registros sobre a participação dos árabes naquela luta. "Estávamos", escreveu ele, "lançando-os ao fogo, aos milhares, para a pior das mortes, não para vencer a guerra, mas apenas para podermos ficar com o trigo, o arroz e o petróleo da Mesopotâmia". A frustração dos traídos, como se pode imaginar, foi imensa.

A reação contra a nova colonização do Oriente Médio não tardou. Para os povos árabes, desiludidos com os acontecimentos, ocorrera de fato apenas uma mudança de dono. Mal saíram os turcos da região, quando chegaram os ingleses e os franceses com ares de proprietários. Em Damasco, a população nativa rebelou-se contra os franceses (a quem, pelo acordo secreto de Syques-Picot, de 1916, couberam o Líbano e a Síria, ficando a Palestina e a Mesopotâmia para a Grã-Bretanha); o mesmo se deu contra a guarnição inglesa em Bagdá. Tamanho foi o impacto do levante de 1920, que Winston Churchill, de Londres, recomendou ao comandante britânico da Mesopotâmia que usasse gás de mostarda contra a população insurgida. Sufocado o protesto dos nacionalistas árabes – uma explosão emocional, sem liderança e sem horizontes

–, inclusive com bombardeios aéreos sobre os curdos, os colonialistas ingleses impuseram aos iraquianos, pelos quarenta anos seguintes, a família dos Hashimitas como dinastia governante.

Lawrence, ou *Al Auruns*, como os beduínos o chamaram, retirou-se de cena, um tanto frustrado. Recomendou, entretanto (*The Round Table*, 1920), que os burocratas do império não tentassem se impor às lideranças locais, propondo o que ele denominou de "novo imperialismo", reservando aos funcionários ingleses a tarefa de serem conselheiros e não quererem assumir tudo no lugar dos nativos. O Iraque só conseguiu sua independência de fato (houve uma simulação em 1932) quando os militares nacionalistas do Partido Baas, liderados por Karim Qassem, fizeram, em 1958, uma deposição sangrenta da monarquia Faiçal. Tudo indicava então que os anglo-saxões seriam afastados em caráter definitivo da velha Mesopotâmia e das suas vizinhanças. Enganaram-se.

As trapalhadas de Saddam Hussein

Devido às trapalhadas guerreiras do ditador Saddam Hussein (guerra contra o Irã, entre 1980-88, invasão e anexação do Kuwait em 1990-1), os ingleses voltaram à região em 2003 para proteger os imensos lençóis de petróleo que suas empresas exploram no Oriente Médio. E com eles, em parceria, lá estavam os seus primos imperiais, os norte-americanos. Navios, aviões e tropas do grande império anglo-saxão afincaram-se por toda a parte ao redor do Quadrilátero Árabe. Acamparam e montaram bases na Arábia Saudita e no Kuwait; seus barcos ancoraram no Bahrein, no Iêmen, em Omã e em Qatar, espalharam-se pelo Golfo Pérsico e pelo bíblico Mar Vermelho. Os caças anglo-saxões, como nas histórias dos tapetes voadores, voando sobre os minaretes de Bagdá, cuspiram fogo e morte dos céus.

O sonho de Lawrence de ver um "novo império", de uma

"nova Ásia" tutelada pelos britânicos, foi largamente ultrapassado. Desde a Guerra do Golfo, em 1991, uma boa parte do Oriente Médio está sendo recolonizada, já que, da morte de Lawrence – ocorrida em um acidente de motocicleta em 1935 – para cá, o petróleo tornou-se ainda mais importante, de vital interesse estratégico para as potências anglo-saxãs.

25
A política do fundamentalismo

A palavra "fundamentalismo" passou nos últimos anos a estar presente na mídia mundial quase sempre com uma conotação assustadora. E não é para menos. Os militantes fundamentalistas estiveram por detrás da maioria dos atos de violência cometidos nas mais variadas situações geográficas. Acostumamo-nos a identificá-lo, o fundamentalismo, aos religiosos do Oriente Médio, particularmente aos imãs islâmicos, aos chefes e guias espirituais de países daquela região, que sempre aparecem com seus trajes tradicionais, encimados por turbantes, lançando ameaças ao mundo moderno e aos americanos em geral.

Na verdade, o fundamentalismo é um movimento sócio-religioso e político muito diversificado e bem mais extenso do que as fronteiras do Islã. Paradoxalmente, é nos Estados Unidos de hoje que encontramos o maior contingente de fundamentalistas, só que cristãos. O que se segue abaixo é uma síntese deste poderoso movimento, em que se procura identificar os tipos de fundamentalismo, bem como seus objetivos.

O fundamentalismo americano

Antes de tudo é necessário definir o que vem a ser fundamentalismo ou integrismo*. Designa-se assim todo e qualquer movi-

---

*Apesar de considerar-se o integrismo com um sinônimo do fundamentalismo, eles têm origens diferentes. Se o fundamentalismo, como expressão do radicalismo protestante, difundiu-se nos EUA a partir dos anos vinte, o integrismo vem da Espanha do século XIX e, hoje, seus ativistas (cont.)

mento religioso que tende a interpretar a realidade de hoje através dos olhos de antigos preceitos religiosos e que renega os valores da modernidade.

Para o fundamentalista, o fiel deve seguir à risca as páginas dos textos sagrados da sua religião. As Escrituras (sejam elas a Bíblia, o Talmude, o Corão, ou o Hadith dos hindus) foram traçadas por Deus, logo devem ser interpretadas conforme a sua vontade. Naturalmente que os fundamentalistas não aceitam o criticismo, isto é, o movimento intelectual teológico moderno (pelo menos desde Spinoza para cá) que diz que as palavras sagradas devem ser interpretadas de acordo com a época e as circunstâncias em que foram escritas, e que abrigam uma enorme distância da realidade atual.

Portanto, fundamentalismo é tomar as palavras sagradas em seus fundamentos últimos, entendê-las integralmente, a fim de "retornar aos artigos fundamentais da fé" sem nenhuma alteração, sem nenhuma concessão às modernas interpretações seculares.

O fundamentalismo americano surgiu no século passado nos Estados Unidos na medida em que a sociedade americana passava por um acelerado processo de modernização e rápida alteração de hábitos e costumes. A expansão da modernidade, da democracia e do liberalismo e a adoção da concepção darwiniana da natureza trouxeram um afrouxamento dos costumes religiosos e uma aceitação prazerosa da modernidade, cultivando a civilização do conforto. As mulheres iniciaram a sua emancipação, os jovens deixavam cedo sua casa para tratar de levar uma vida independente e os divertimentos se multiplicavam. A secularização crescente da vida civil em um mundo cada vez mais urbanizado e mais independente dos costumes tradicionais se disseminou.

Foi contra isto tudo que os fundamentalistas se ergueram, fundando a World's Christian Fundamentals Association, WCFA,

---

rejeitam as relações da Igreja católica com o mundo moderno estabelecidas pelo Concílio Vaticano II. (N. do A.)

em 1919. Os pastores das igrejas batistas, presbiterianas, episcopais e adventistas apontaram seu dedo acusador para o pecado da modernidade. Defendiam, em substituição ao milenarismo (que, apocalíptico, predizia o fim do mundo para breve), o chamado Segundo Advento de Cristo. Cristo estaria em breve entre nós. E, perguntavam eles, o que Cristo encontraria?

Os novos tempos estavam destruindo os valores mais profundos da comunidade religiosa. Corroíam as famílias, fazendo com que os fiéis abandonassem o culto semanal e adotassem modos de vida não condizentes com um verdadeiro cristão.

Era preciso retornar aos antigos costumes, aos antigos ensinamentos, apegar-se à Bíblia como a única salvação em um mundo dominado pelo materialismo, pelo ateísmo e pelo descaso para com as coisas da fé. Desta forma, Cristo, ao retornar, reconheceria a sua obra. Cabia pois aos pastores expulsar os vendilhões (os costumes modernos) do Templo. Os fundamentalistas passaram então a repelir todas as inovações nos costumes. Atribui-se a eles a aprovação da conhecida Lei Seca de 1920, que proibiu a bebida alcoólica nos Estados Unidos.

Depois de alguns anos em ocaso, eles voltaram revigorados devido ao cenário criado pela Guerra Fria (1947-1989) e graças à sua militância anticomunista. Vários pastores fundamentalistas alcançaram espaço nos meios de comunicação para doutrinar a população americana na luta contra o "Império do Mal". Apoiados por crentes novos-ricos e por direitistas endinheirados, estes pastores fundamentalistas exerceram enorme influência no quadro eleitoral americano, muitos deles tornando-se íntimos do poder, como foi o caso de Bill Graham.

Hoje, passada a Guerra Fria, os fundamentalistas americanos concentram-se na luta contra o direito ao aborto (cometeram vários atentados e assassinatos contra funcionários e médicos de clínicas de aborto), contra a Emenda de Emancipação da mulher, contra os direitos dos homossexuais e a favor da introdução da reza obrigatória nas escolas públicas. Na política mais ampla, foram contra os acordos com a URSS que visavam à limitação dos mísseis e das armas nucleares em geral, pois isso seria "desarmar o lado de Deus" frente ao comunismo ateu.

Desde os inícios da década de 1980, aproximando-se do general Ariel Sharon, passaram a apoiar a política mais extremada do Estado de Israel. Não por terem alguma simpatia especial pelos judeus. Ao contrário. Para eles, somente com a concentração de todo o Povo Eleito na Terra Santa é que poderá ocorrer a Segunda Advinda de Cristo, ocasião então em que se dará a batalha final do Armagedon. Neste derradeiro combate apocalíptico eles prevêem que um terço dos judeus irá perecer, enquanto que os restantes, os sobreviventes desse embate derradeiro, forçosamente reconhecerão terem estado em erro e, abandonando o judaísmo, se converterão, finalmente, ao cristianismo.

As bases proselitistas dos fundamentalistas norte-americanos são os Institutos da Bíblia e as cadeias de rádio e de televisão do interior do país, tendo como meta a preservação do mundo caipira, que eles pretendem puro, ainda não corrompido pela besta da modernidade urbana. No campo das idéias, lutam para que as escolas ensinem o "criacionismo", preso à interpretação literal do Gênesis bíblico, que afirma ser a natureza um ato de criação divina e, portanto, intocável pelo homem. Neste campo seu inimigo é a teoria da evolução de Darwin, que eles entendem como demoníaca.

Quem mais deu espaço à autodesignada Maioria Moral fundada pelo reverendo Jerry Falwell – entre outros –, foi o Presidente Ronald Reagan (1981-89), que a considerava útil na mobilização anticomunista, e também como uma força interna contra as leis liberalizantes defendidas pelos seus adversários do Partido Democrata.

O fundamentalismo islâmico

O fundamentalismo islâmico*, que de fato nunca deixou de existir, ascendeu no cenário político do Oriente Médio a partir da Revolução Xiita no Irã, em 1979. O movimento dos aiatolás foi visto como uma energização das potencialidades islâmicas adormecidas ou escorraçadas pela presença cada vez maior da modernidade.

A sua repentina aparição deveu-se em grande parte ao fracasso político dos estados árabes seculares em dar um combate eficiente ao Estado de Israel – visto como o mais atual inimigo político e teológico do Islã – e retirar seus países da situação de imobilismo econômico em que a maioria se encontra. Da mesma forma que os fundamentalistas cristãos, os islâmicos consideram como sua política básica o retorno às leis corânicas, ao espírito das leis das Sagradas Escrituras do profeta Maomé. Os costumes ocidentais resultam da perversão, pois entendem que a modernidade é o império de Satã, que lança mão de instrumentos sedutores (a música, a bebida, as boas roupas, os automóveis caros, etc.) como uma maneira de envilecer o caráter e a pureza dos verdadeiros muçulmanos.

O ideal político do fundamentalismo é a implantação de uma república islâmica, um regime teocrático que traduza literalmente a *charia*, as antigas leis corânicas inspiradas diretamente na vontade do profeta. O chefe real desta concepção de governo teocrático é Alá, sendo que os imãs, os mulás e demais guias religiosos apenas o representam e interpretam a vontade divina. Isto os coloca em oposição à maioria dos governos do Oriente Médio, que são repúblicas seculares governadas por militares (Mubarak, no Egito,

---

* Evidentemente que eles não se denominam de *fundamentalistas* (*usüliyya*, em árabe), mas sim de *mujähidün* e de defensores da jihad, a guerra santa. Os seus adversários, por sua vez, os chamam de *mutatarrifiün*, os extremistas do Islã. (N. do A.)

Saddam Hussein, no Iraque, Kadafi, na Líbia, e Zeroual, na Argélia, etc.). A hostilidade dos fundamentalistas a estes governos seculares aumenta por duas razões: por estarem abertos perigosamente ao exterior e aos costumes ocidentais (considerados demoníacos) e por sustentarem relações não-beligerantes com Israel, como no caso da Jordânia e do Egito.

No que cabe aos costumes, os fundamentalistas advogam o radical e urgente rompimento com tudo o que lhes pareça "ocidental". As mulheres emancipadas pelas leis secularizadas devem voltar a usar o *chador* ou o *burka* das afegãs, não devem ter acesso à instrução nem ser atendidas por médicos homens. O ensino em qualquer nível deve priorizar o religioso, e as leis comuns devem acolher as regras corânicas (açoite ou lapidação para os adúlteros, execuções públicas acompanhadas de chibatadas, etc.).

Socialmente, pode-se dizer que eles expressam os sentimentos dos setores mais pobres e mais desesperançados das comunidades do Oriente Médio, gente majoritariamente analfabeta que vive nos grandes subúrbios, nos campos ou nos desertos e que leva uma vida muito dura, sem alegrias ou confortos.

Para deter e constranger a liberdade de expressão, não reconhecida no direito islâmico, os chefes religiosos lançam mão da *fatwa* (uma sentença religiosa), que pode condenar à morte o infrator. O intelectual ou escritor que redigir uma novela ou algo considerado blasfemo ou herético está sujeito a ser morto por qualquer seguidor da fé. Este, por sua vez, estará seguro de não ter cometido um crime porque o atentado foi praticado em nome da pureza do Islã. Centenas de jornalistas, intelectuais e pensadores leigos, especialmente no Egito e na Argélia, estão com suas vidas ameaçadas devido à pena da *fatwa*. O caso mais exemplar é o que foi aplicado contra o escritor Salman Rushdie, que há vários anos tem sua cabeça à prêmio.

Desde a queda da URSS, potência atéia, os fundamentalistas tornaram os Estados Unidos o seu principal inimigo. A hiperpotência americana, por sua vez, representa tudo o que eles abominam: a liberação dos costumes e do sexo, a emancipação feminina, o culto à modernidade e a celebração da tecnologia.

Além de serem uma ameaça permanente à peculiar cultura tradicional da região, os Estados Unidos, ao apoiarem intransigentemente a política de Israel – seja ela a executada pelo governo dos Trabalhistas ou do Likud, o partido direitista israelense –, viram-se alvo de atentados. A presença dos soldados cristãos no solo sagrado do Islã, no Kuwait e na Arábia Saudita, marcante desde a Guerra do Golfo, de 1991, faz com que os fundamentalistas voltem seus ataques para suas guarnições e embaixadas (o atentado à embaixada americana de Nairóbi, no Quênia, possivelmente deveu-se a ela abrigar as instalações da CIA na África).

Evidentemente que se pode entender o litígio armado entre os fundamentalistas e os Estados Unidos como um conflito entre dois mundos opostos, o do Islã tradicional e, do cristianismo modernizado. Mas, igualmente, tal disputa pode ser vista – e talvez seja isso o principal – como o choque entre as forças nativas anticolonialistas e a ambição imperial dos anglo-saxões que desejam o controle geopolítico do Oriente Médio. Uma versão atualizada da guerra que os antigos zelotes daquela região moveram contra a presença do Império Romano.

Nesses últimos anos os Estados Unidos, bem antes dos atentados de 11 de setembro de 2001, viram-se alvo de uma outra série de ataques à bomba, tanto em sua própria casa (a explosão da garagem do World Trade Center em Nova York em 1993), como fora dela, como os que acometeram duas das suas bases na Arábia Saudita. O primeiro destes deu-se em 1995, na capital Riad (com 5 mortos), e o outro, em 1996 (o de Khobar Tower matou 19 soldados americanos). Com os mais recentes, ocorridos em agosto de 1998 nas embaixadas de Nairóbi e Dar el Salam (24[illegible] mortos, 12 deles americanos), perfazem cinco grandes atentados. Os serviços de segurança americanos têm quase certeza de que todos eles foram maquinados e, provavelmente, financiados por Osama bin Laden, um saudita nascido em 1957 que, naquela ocasião, se encontrava acolhido no Afeganistão.

Quadro-síntese dos fundamentalismos

Cristãos

País	**Igrejas**	**Características**
E.U.A	**Batista, Presbiteriana, Evangélica, Adventista**	Contra os costumes modernos. São contra o divórcio e o aborto. Politicamente, são anticomunistas e, no campo do ensino, defendem o criacionismo antidarwinista.

Islâmicos

País	**Grupos ou movimentos**	**Características e objetivos**
Afeganistão	***Teleban*** (seminaristas islâmicos)	Revogar os costumes modernos e aplicar a lei corânica em seus fundamentos. Rejeição completa ao mundo moderno.
Argélia	***Frente Islâmica de Salvação*** (***FIS***) e ***Grupo Islâmico Armado*** (***GIA***)	Luta contra o regime militar secular. Tenta impor uma república islâmica. Organiza massacres indiscriminados contra a população aldeã, persegue jornalistas, mulheres emancipadas e assassina os estrangeiros.

País	Grupos ou movimentos	Características e objetivos
Egito	***Irmandade muçulmana e Jihad Islâmica***	Advoga uma república muçulmana. Ataque a elementos do governo (assassinato de Anuar Sadat) e a turistas ocidentais (58 mortos em Luxor, em 1997).
Líbano	***Hezbollah*** (O partido de Deus)	Luta contra a ocupação israelense do sul do Líbano, chamada Zona de Segurança. É apoiado pelo Irã.
Cisjordânia e Gaza	***Hamas***	Luta contra Israel e não aceita o acordo firmado pela OLP de Arafat com os israelenses. Advoga a adoção das leis corânicas para o futuro estado da Palestina.
Irã	***Movimento xiita***	Derrubou o governo pró-ocidental do xá Reza Pahlevi em 1979, fundando a República Islâmica. Os EUA foram o seu principal inimigo. Rejeição da vida ocidental e volta aos costumes islâmicos.

26

Ataques suicidas: kamikazes e sahids

James Madison, o quarto presidente norte-americano, estava confiante de que a milícia de seis mil convocados, vindos da Virgínia, daria conta do recado. Deveriam ser suficientes, calculou ele, para deter a ofensiva da frotilha dos britânicos que navegava pelo rio Pataxuten, prontos a atacar Washington, então a novíssima capital dos Estados Unidos. Mas que nada. Bastaram umas canhonadas do general Ross para que os americanos fossem postos a correr. Um vexame só. No dia 24 de agosto de 1814, as tropas inglesas marcharam pela avenida Pensilvânia, em uma cidade deserta.

Os oficiais invasores, ao ocuparem a Casa Branca, ficaram deliciosamente surpresos e ainda puderam jantar a refeição que havia sido preparada para o presidente Madison e a sua esposa, em fuga naquele momento. No mesmo dia, o comandante inglês ordenou que todos os prédios públicos fossem incendiados, em represália ao ataque que os americanos haviam feito um ano antes ao Canadá. Entre eles, a Casa Branca e o prédio do Capitólio arderam para valer. Este incidente da guerra de 1812-14, travada entre os EUA e a Grã-Bretanha, foi a única ofensa grave que os americanos sofreriam de estrangeiros em seu território ao longo dos dois séculos seguintes.

Desde então, nenhuma das suas metrópoles, fosse da costa Atlântica ou do Pacífico, viu-se ameaçada por qualquer tipo de operação militar vinda de fora. Guerras não faltaram. Somente nos últimos cem anos, os Estados Unidos lutaram na guerra hispano-americana de 1898, na Primeira Guerra Mundial (1917-1918), na

Segunda Guerra Mundial (1941-1945), na Guerra da Coréia (1950-1953) e na Guerra do Vietnã (1965-1975), sem que, em nenhuma dessas ocasiões, a sua população civil se sentisse sequer amedrontada com a possibilidade de um bombardeio.

É perfeitamente natural supor-se que, até bem pouco tempo, os seus cidadãos se considerassem inatingíveis. Pertenciam à única grande potência que atravessara incólume todas as guerras em que participara. "*God bless America!*", diziam os americanos. De fato, parecia que Deus havia abençoado aquela parte do Novo Mundo. Pois justamente naquele momento de apogeu, quando se exibiam no tablado mundial como os exclusivos vitoriosos do século, eis que foram surpreendidos pela violência dos ataques ao World Trade Center e ao Pentágono, no dia 11 de setembro de 2001.

De Pearl Harbor aos kamikazes

De imediato pensou-se em associar a derrubada das torres do World Trade Center e o ataque ao Pentágono a Pearl Harbor e considerar os atentados quase como uma reprise do inesperado ataque nipônico de 8 de dezembro de 1941 à base americana do Hawaí. Porém, há uma enorme desproporção nos recursos empregados naquela oportunidade frente ao que ocorreu em Nova York e Washington. Em 1941, a Marinha Imperial japonesa usou mais de trinta navios e teve que lançar duas ondas de torpedeiros e aviões zero, uns trezentos deles, sobre os barcos e campos de pouso americanos, para provocar baixas que chegaram a três mil e quinhentos mortos (90% delas de militares).

A mídia americana, cobrindo o espantoso desabamento do dia 11, lembrou-se dos kamikazes do final da Segunda Guerra Mundial. Época em que jovens pilotos nipônicos, desesperados com a proximidade da invasão norte-americana às terras do Sol Nascente, jogaram-se em massa contra as belonaves inimigas no Mar do Japão. Novamente os dados são impressionantes, se comparados aos estragos feitos pelos 19 sahids, os suicidas islâmicos do Al Qaeda, que vitimaram mais de três mil cidadãos americanos sem precisarem disparar um tiro sequer.

Os kamikazes de 1945 e os sahids de 2001

Para conseguir matar cinco mil marinheiros americanos (é o que se calcula que os kamikazes tenham atingido), os nipônicos perderam 210 aviões na batalha do golfo de Leyte, nas Filipinas, e outros 2.394 na batalha de Okinawa. Se bem que tenham posto a pique uma quantidade impressionante de barcos e de porta-aviões, as baixas provocadas pelos *tokkotai* (ataques especiais) foram reduzidas. Tudo isso acentua a excepcionalidade histórica dos atentados de 11 de setembro de 2001, que abriram uma fissura na estrutura psicológica do americano comum. Para melhor se entender o abalo de que padeceram os norte-americanos, basta lembrar que os Estados Unidos participaram de todas as grandes guerras do século XX e outras de proporções menores, como a da Coréia e a do Vietnã, sem que o seu território fosse atacado. No transcorrer de todo aquele século, nenhum dos seus inimigos conseguiu fazer qualquer estrago de monta contra a população civil norte-americana ou que danificasse suas cidades ou portos. Protegido por dois enormes oceanos e bem longe dos frontes de guerra, o povo norte-americano conseguiu ficar imune aos estragos e devastações que outros povos sofreram na Europa e na Ásia.

27

Irã 1953, a lembrança de um golpe

É aqui onde começarão nossos problemas se não formos cuidadosos.

Harry Truman, presidente norte-americano, apontando o mapa do Irã, em 1952.

Em princípios de junho de 1953, um agente da CIA infiltrou-se secretamente pela fronteira iraquiana-iraniana. Tratava-se de Kermit *Kim* Roosevelt, um neto do ex-presidente Teddy Roosevelt, o inventor da política do *big stick**. O agente trazia, pois, o imperialismo no sangue. A sua missão era convencer o xá Reza Pahlevi a desfazer-se do inconveniente Hidayat Mossadegh, o primeiro-ministro do Irã. Começava a Operação Ajax, uma das mais espetaculares ações clandestinas da agência de inteligência americana e do serviço secreto britânico MI-6 para reverter uma situação crítica.

Dois anos antes, no dia 1º de maio de 1951, o *Majlis*, o parlamento iraniano, havia aprovado a nacionalização do petróleo. A companhia Anglo-Iranian, velho polvo inglês, viu-se do dia para a noite excluída do país onde até então reinara como se fora um Estado à parte, desde 1908. O mundo pós-guerra estava assistindo à maré montante do nacionalismo terceiro-mundista, pela qual os povos colonizados ou semicolonizados, como no caso dos ira-

* Denominação da política de força adotada pelo presidente Theodore Roosevelt (que governou de 1901 a 1909) para resolver questões que envolviam os interesses externos dos Estados Unidos. (N. do A.)

nianos, erguiam sua fúria contra as corporações estrangeiras que detinham vantajosas concessões.

Mossadegh deu um prazo limitado para que a outrora poderosa empresa retirasse seus funcionários da refinaria de Abadan, e lá se foram eles, embarcados nos navios de Sua Majestade, cantando uma versão obscena da marchinha "Coronel Bogey". A impossibilidade de responder militarmente de imediato ao que consideravam uma humilhação, seguida de uma desapropriação dos seus bens, assinalou o princípio do fim do Império Britânico.

Mas em 1952 o cenário político alterou-se. O conservador Churchill foi eleito na Inglaterra, e o general Eisenhower venceu a eleição para a Presidência dos Estados Unidos pelos republicanos. Articularam, então, uma solução em conjunto. O problema não era Mossadegh em si, mas sim sua política. Se as grandes potências nada fizessem, uma onda de nacionalizações varreria os seus interesses espalhados pelo mundo. Além disso vivia-se no auge da Guerra Fria, e, na estreita equação de John F. Dulles, o todo-poderoso secretário de Estado do governo Eisenhower, nacionalismo equivalia-se a comunismo. Qualquer prejuízo que as empresas ocidentais pudessem vir a sofrer automaticamente reforçava o poder soviético. Ao contrário dos democratas, em geral anticolonialistas, os republicanos americanos tornaram o nacionalismo um inimigo tão terrível como o comunismo.

Impossibilitados pela conjuntura de fazer uma intervenção direta, os aliados anglo-saxões recorreram a uma manobra camuflada. Era a estratégia do cavalo de Tróia: fazer com que o inimigo seja derrotado dentro dos seus próprios muros. É bem provável que alguns detalhes tenham sido sugeridos pelo coronel Vernon Walters*, que anteriormente visitara o Irã quando serviu de intérprete em uma negociação com o próprio Mossadegh.

---

* O coronel Vernon Walters era assessor da Embaixada norte-americana em Brasília no época do Golpe Militar de 1964. (N. do A.)

28
Massu, o carrasco de Argel

Faleceu no dia 26 de outubro de 2002, aos 94 anos, em sua residência na França, o tristemente famoso general Jacques Massu, o chefe dos pára-quedistas franceses na Batalha de Argel. Naquela ocasião, nos anos de 1957-58, travou-se na capital da Argélia um dos mais ferozes combates de rua da história recente, ocasião em que os regimentos franceses foram utilizados em operações policiais, abusando largamente da violência para sufocar a revolta dos árabes. Ele foi apontado como um dos que instituíram a prática da tortura como norma operacional para sufocar a rebelião anticolonialista árabe, lançando assim uma triste sombra sobre o exército francês, que antes havia lutado contra Hitler.

O começo da Batalha de Argel

"Meu nome foi para sempre associado à tortura, foi isso o que se tornou mais duro de suportar."

General Jacques Massu, em entrevista ao *Le Monde*, 22.11.2000

O general Massu, comandante militar da área norte da Argélia, um veterano oficial francês que acompanhara De Gaulle desde 1940, decidiu-se por uma operação final. A cidade de Argel, a capital da Argélia colonizada, encontrava-se conflagrada pela luta entre os *fellahs,* militantes da FLN*, e os moradores franceses,

---

* A Frente de Libertação Nacional (FLN) da Argélia havia sido fundada em 1954 por um pequeno grupo de patriotas argelinos decididos a recuperar a independência do país por meio da guerra revolucionária. (N. do A.)

apelidados de *pieds-noirs,* pés-pretos. Eram as preliminares do conflito entre as duas concepções de Argélia: a francesa, que queria mantê-la como província do império, e a islâmica, que a desejava árabe e independente. A cada bomba que os ativistas argelinos colocavam, os colonos brancos desencadeavam o que diziam ser uma "ratonada" (um desentocar dos ratos), *pogroms* (massacres persecutórios organizados) que devastavam as zonas árabes, queimando tendas e linchando ou matando a tiros aqueles que pareciam suspeitos. O general Massu recebeu instruções de pôr um fim drástico naquele amadorismo e restabelecer a ordem em Argel.

Na manhã do dia 7 de janeiro de 1957, determinou que as forças especiais entrassem em ação. Era o dia de *Sainte Mélanee*, protetora dos pára-quedistas, a quem ele, bom devoto, pediu a bênção. Oito mil homens fortemente armados – a tropa de choque do colonialismo francês – começaram então a dar uma batida-monstro, revirando de alto a baixo a vida cotidiana dos oitocentos mil habitantes da grande Argel.

Eles, os "parás", tinham combatido na Indochina (1945-1954) e, mais recentemente, em 1956, tinham feito parte, junto com os britânicos, da fracassada reocupação do canal do Suez. Derradeiro gesto do colonialismo europeu decadente. Na boca de cada soldado francês havia um gosto ruim de frustração e derrota. Viram na ocupação total de Argel um momento de revanche da derrota que os vietnamitas lhes impuseram em Diên Biên Phu, em 1954. Era o momento de ensinar à canalha árabe que eram eles que ainda mandavam. Os cristãos, ocupando a Argélia desde 1830, não a abandonariam sem luta.

O assalto a Casbah

Uma vez dividida a cidade em quatro zonas militares, a Casbah, o velho bairro medieval onde se abrigava a população pobre de Argel, um forte núcleo da resistência ao colonialismo, foi presa dos zuavos, as tropas mercenárias a soldo da França. Era um intricado sem-fim de ruelas, um labirinto de milhares de casinhas coladas umas nas outras e que podiam tornar-se mortíferas para as tropas de ocupação. Na retaguarda destas, caminhava a elite da décima divisão de pára-quedistas, os "leopardos", assim chamados pelo seu uniforme camuflado com pintas escuras e, também, por sua ferocidade. No alto, pelos céus da cidade, viam-se os helicópteros de guerra, *Bell 47*, *Alouettes* e *Sikorsky*, circulando como pássaros sinistros atrás de sangue, vomitando rajadas e foguetes. Onde encontrava resistência dos árabes, Massu era implacável, ordenando a explosão do local.

Assim se deu com Ali-la-Pointe, um dos chefes operacionais da FLN, morto com alguns dos seus em 8 de outubro de 1957 (episódio reproduzido por Gillo Pontecorvo no filme *A Batalha de Argel*, de 1966). Outros eram submetidos a execução sumária, a assassinatos seletivos, como foi o caso de Larbi Ben M'Hidi, que pertencia ao comitê central da resistência argelina e que foi "suicidado" na sua cela. De certo modo, os executados tiveram sorte, pois o inferno estava reservado aos que eram levados aos empurrões e de arrasto para os porões do CCI (Centro de Coordenação Intramilitar), do DOP (Disposição Operacional de Proteção) ou ainda para os altos do Paradou Hydra, o posto de comando dos pára-quedistas. Foi o destino do infeliz Maurice Audin, um professor de matemática que nunca mais foi visto. Irritava particularmente a Massu (ver o seu livro *La vraie bataille d'Alger*, 1971) o crescente engajamento de moças árabes na preparação dos atentados. Geralmente submissas e indiferentes às coisas da política, várias delas, para surpresa dos órgãos de repressão, tornaram-se voluntárias para carregar armas e bombas nas bolsas e sacolas. Também elas foram presas e levadas aos trancões para os calabouços de Massu, como o existente na tenebrosa Villa Susini, a central de tortura dos militares franceses*.

Esses calabouços, essas sucursais dos horrores da guerra contra-revolucionária, foram chamados por Diffra, a irmã do assassinado Ben M'Hidi, em carta destinada ao general Massu, de *laboratoires secrets de la déchéance humaine* (laboratórios secretos da desgraça humana). Em um deles atuava o capitão Paul Aussaresses, que, como se fosse um diabo hospedeiro, tinha prazer em mandar torturar os presos argelinos (mais tarde gabou-se disso no livro *Services spéciaux: Algérie 1955-7*, publicado em 2001, confessando ter morto pessoalmente 24 dos insurrectos, entre eles Larbi Ben M'Hidi e o advogado Ali Boumendjel, jurando que faria tudo de novo). As atrocidades da campanha comandada por Massu, que se estendeu até 1958, afogando os árabes em sangue, flagelações e espancamentos diversos, registrando 3.024 "desaparecidos", chegaram ao conhecimento da intelectualidade de Paris. Especialmente de André Malraux e de Jean-Paul Sartre e o seu grupo, que, escandalizados, denunciaram-nas. Seguiram assim as pegadas até então solitárias do escritor francês François Mauriac, que, bem antes, em 3 de abril de 1954, escrevera no periódico *L'Express* um libelo contra a tortura, acusando a complacência do governo francês com aquelas práticas.

Porém, muitos dos escritores que antes haviam apontado as violências dos nazistas na época da ocupação da França (1940-44) desta vez se calaram ou encontraram justificativas. O paradoxal dessa história é que, ao tempo em que os franceses capturaram o oficial da SS Klauss Barbie, o "açougueiro de Lion", trazendo-o

---

* A historiadora Raphaëlle Branche apresentou, em 2000, uma tese de doutorado de 1.211 páginas, intitulada *O Exército e a tortura durante a guerra da Argélia. Os soldados, seus chefes e as violências ilegais*, concluindo que "a tortura não foi apenas ação de alguns militares sádicos e isolados. Pelo contrário, ela se inscreve dentro da história da colonização. Antes da Argélia, foi praticada na Indochina". (Édouard Bailby, *Cadernos do Terceiro Mundo*, nº 227, 2001.) (N. do A.)

da Bolívia para que fosse julgado, em 1987 – acusando-o de cometer "crimes contra a humanidade" e responsabilizando-o, entre outras atrocidades, pela tortura e assassinato, em 1944, de Jean Molin, herói da resistência francesa –, o destino do carrasco de Argel e do seu auxiliar foi outro.

O general Jacques Massu – que retornou para a França em 1960, depois de ter aplastado a resistência árabe na Batalha de Argel –, mesmo com a farda manchada pelos esguichos de sangue dos presos brutalizados pelos pára-quedistas sob seu comando, foi condecoradíssimo. Protegido por providenciais leis de anistia, aprovadas entre 1964-66, o general, além da Cruz da Legião de Honra e a Cruzes de Guerra e a do Valor Militar, foi distinguido pelos ingleses, pelos americanos e até pelo governo alemão, que lhe pregou no peito a Grande Cruz do Mérito.

Massu, em uma célebre entrevista dada ao jornal diário *Le Monde*, em novembro de 2000, lamentou o ocorrido, mas afinal disse estar cumprindo ordens (inclusive do socialista François Mitterrand, então ministro da Justiça), assegurando ainda que a tortura não era um recurso necessário, mesmo em tempo de guerra. Aussaresses, como vimos, não menos coberto de medalhas, se bem que respondendo a um processo que o condenou por "apologia à tortura", terminou general reformado, dizendo estar com a consciência tranqüila dos que cumprem uma missão. Em uma entrevista dada em novembro de 2000, acrescentou: *"On n'a pas à se repentir. Qu'on reconnaisse des faits précis et ponctuels, oui, mais en prenant garde à ne pas généraliser. Pour ma part, je ne me repens pas"* (Não há do que se arrepender. Que se reconheçam, sim, alguns fatos precisos e pontuais [da aplicação da tortura], mas tome-se cuidado para não generalizar. De minha parte, não me arrependo.").

O general Massu, amparado na amnésia nacional e no silêncio, faleceu no dia 26 de outubro de 2002, com 94 anos muito bem vividos, na sua residência, na tranqüila aldeia de Conflanssur-Loing. O nazista Barbie, que trucidou patriotas franceses, foi condenado, com toda a razão, por crimes de guerra; Massu, que seviciou e matou patriotas argelinos, teve exéquias de herói francês. Qual a lição disso tudo? É que, em caso de guerra, ninguém, particularmente um militar, deve arriscar-se a ser derrotado.

29
Fé e sangue na Terra Santa: o conflito árabe-israelense

A chamada Terra Santa, a Terra da Promissão da Bíblia, é geograficamente bem pequena, mais ou menos uns 30 mil km^2, estendendo-se verticalmente do monte Líbano até o deserto de Neguev e, horizontalmente, das costas do mar Mediterrâneo até às margens do rio Jordão, que depois de alimentar o lago da Galiléia deságua no mar Morto. Apesar de ser apontada pelos antigos profetas como a terra do maná, onde o alimento caía do céu, a escassez de tudo era mais comum. As poucas áreas agrícolas lá existentes, devido à raridade das chuvas, permitiam uma modesta colheita de grãos que nunca se caracterizaram pela abundância ou pela prodigalidade. As áreas pedregosas, por sua vez, bem mais elevadas, foram usadas ao longo da história para a criação de cabritos e ovelhas.

Se a região, sob o ponto de vista econômico, material, foi sempre modestíssima, não tendo minas de ouro ou de mármore, nem sequer poços de petróleo, sendo permanentemente assolada pela pobreza, o mesmo não se aplica ao que ela representou e até hoje representa na imaginação religiosa e sobrenatural dos homens. Não há, nem nunca houve, em mais de cinco mil anos de história, um território tão disputado e tão conflagrado como a área da Palestina e do antigo Reino de Israel. Por séculos afora os seguidores dos deuses mais diversos e os profetas das mais variadas procedências lutaram entre si, com armas ou palavras, em impressionantes e sangrentas batalhas teológicas, pela conquista dos corações e das mentes dos homens, fazendo daquelas terras abrigo de tremendas maravilhas mas também de fanatismos e intermináveis discórdias entre os povos semitas, descendentes de Abraão (que, presume-se, teria chegado à região cerca de 1850 a .C.).

Sagrada para os três

Para os judeus, provavelmente os seus mais antigos habitantes, ela é a Eretz Israel, a terra dada por Jeová ao Povo Eleito, tendo como sua eterna capital Jerusalém, cujo terreno original foi tomado ou comprado dos filisteus pelo rei Davi, cerca do ano 1000 a. C. Ela é a Terra da Promissão, o local que Jeová apontou a Moisés como o lar definitivo dos judeus logo que eles conseguiram escapar do Egito, onde eram mantidos como escravos pelo faraó. Esta relação dos judeus com sua terra assumiu com os séculos um tom místico que fazia com que embora eles fossem desterrados várias vezes por inimigos poderosos (babilônios ou romanos), sempre que estavam na Diáspora encontrassem uma maneira de voltar ao local onde o rei Salomão construiu o Beit Hamikdash, o Templo Sagrado (que abrigava a Arca dos Mandamentos e a Menorá de ouro e fora mandado erguer ao redor de 950 a.C.), símbolo integrador das doze tribos de Israel. Para os cristãos, a Terra Santa é duplamente sagrada. Foi nela que Jesus Cristo, o Salvador, nasceu e sacrificou-se pelo bem da humanidade inteira. O filho de Deus veio ao mundo em Belém, cresceu em Nazaré, pregou na Galiléia e foi crucificado em Jerusalém (cerca do ano 33), onde logo ressuscitou, para vir animar seus discípulos a que se dedicassem na difusão do Evangelho.

Apegados ao Novo Testamento, escrito por quatro apóstolos a partir da segunda metade do século I, todas as referências que os cristãos nele encontram sobre a vida do seu messias fazem referência à Terra Santa. Cristo jamais teria saído de lá, sendo que todos os seus passos e suas jornadas foram minuciosamente reconstituídos por Helena (cerca de 327-8), a mãe do imperador Constantino, que se convertera à nova fé no ano de 313. Enquanto em Belém encontra-se a Igreja da Natividade, em Jerusalém acha-se o Santo Sepulcro, o local em que Cristo foi descido da cruz e onde em seguida abrigaram o seu corpo em uma pequena caverna. Fixado também o roteiro do seu calvário por dentro das ruas de Jerusalém, o trajeto desde então tem sido percorrido por milhares de peregrinos cristãos vindos de todos os cantos do mundo.

Por último, Jerusalém é também o Nobre Lugar dos muçulmanos. Foi do alto do Haram as-Sharif, o Domo da Rocha – situado na parte elevada de Jerusalém, depois chamada de a Esplanada da Mesquita –, que o profeta Maomé, em espírito, foi encontrar-se com Alá nos céus, no episódio conhecido como a Jornada Noturna do Profeta.

Exatamente naquele espaço inundado de fé é que o califa Omar, a partir de 638, logo que ele ocupou pacificamente Jerusalém (chamada de Al-Quds pelos maometanos), determinou a construção da estupenda Masjid Al-Aqsa. A bela mesquita de cúpula dourada foi terminada em 705 e, esplendoroso templo, tornou-se um centro de celebrações islâmicas. Com a construção pronta, Jerusalém serviu como uma alternativa aos fiéis que não podiam cumprir com a Hégira, a peregrinação a Meca, berço da religião maometana, fazendo com que a sua magnífica cúpula, que brilha como um sol, servisse de guia e de farol para todos os que quisessem chegar à cidade.

Glória a Ele/ Que atenta para o seu servo à noite desde a Santa Mesquita/ da Primeira Mesquita/ O recinto no qual nós somos abençoados e no qual nós podemos mostrar a Ele alguns dos nossos sinais/ Certamente Ele é o que Tudo-ouve o que Tudo-vê.

Sura al-Isra' – *Corão*: 17:1

Conquistada e ocupada

O fato de as três grandes religiões, o judaísmo, o cristianismo e o islamismo, fazerem daquele solo algo sagrado, valiosíssimo aos olhos dos seus seguidores espalhados pelo mundo inteiro, inevitavelmente tem conseqüências especiais. Faz com que qualquer conturbação ou conflito aberto que abale aquela região, eivada de símbolos e de sítios sagrados, torne-se de imediato uma causa universal. Além disso, pelo fato da Terra Santa ser um lugar de trânsito importantíssimo do ponto de vista estratégico – uma ponte que liga a África do Norte ao restante do Oriente Médio e à Ásia Menor, – ela viu-se ocupada e conquistada por quase todos os reis e generais da Antiguidade (Ramsés III, Sargão II, Nabucodonosor, Ciro o grande, Alexandre Magno, Pompeu, Tancredo e Balduíno, Solimão o magnífico, e até Napoleão Bonaparte). Jerusalém, por exemplo, foi tomada 17 vezes ao longo da sua história.

Domínios sobre a Palestina

Historicamente ocupada por cananeus, hebreus, filisteus, assírios, babilônios, egípcios, macedônios, gregos, romanos, bizantinos, árabes, turcos seldjúcidas, cavaleiros cruzados, mongóis e mamelucos, a Palestina, em tempos mais recentes – isto é, desde 1516 –, caiu no controle do Império Turco Otomano, quando ficou sob a administração do Sultanato de Istambul, até o ano de 1917. Nessa ocasião, ao final da Primeira Guerra Mundial, os exércitos turcos foram obrigados a recuar frente à ofensiva anglo-francesa, amparada pela revolta das tribos árabes. Toda aquela parte do Oriente Médio ficou então no controle dos novos vitoriosos. Os Tratados de Paris de 1919, reafirmados pelo Tratado de Sèvres, de 1920, referendaram a partilha entre o Império Inglês e o Império Francês, que dividiram as antigas possessões turcas entre si. Durante os trinta anos seguintes, ignorando os apelos de autodeterminação e independência dos povos árabes, os colonialistas anglo-franceses governaram a região a título de Protetorado, um eufemismo criado pelos diplomatas europeus para tentar disfarçar a ocupação de fato do Oriente Médio. Enquanto isso ocorria, judeus e árabes sonhavam com a possibilidade de virem a constituir no tempo mais breve possível os seus Estados nacionais independentes. Quando o final da Segunda Guerra Mundial chegou, em 1945, nem a França nem a Inglaterra tinham mais forças e recursos para continuar o domínio colonial, sendo pressionadas a se retirarem da região.

Dupla frustração

Durante vários anos no transcorrer do século XX, os povos árabes viram-se frustrados no desejo de alcançar a emancipação política do chamado Retângulo Árabe (a região que abarca a Península Arábica até o Mediterrâneo). Em 1915, por meio da correspondência Hussein-McMahon (carta datada de 24 de outubro de 1915), eles haviam obtido garantias do alto comissário inglês do Egito, assegurando que a Grã-Bretanha estava disposta "a reconhecer e apoiar a independência dos árabes em todas as regiões dentro dos limites requeridos pelo chefe da dinastia Hachemita, o Xerife Hussein" (Arábia, Mesopotâmia e Síria, que abarcava também o Líbano), em troca do apoio que as tribos árabes, lideradas pelo Emir Feisal, estavam dispostas a dar aos britânicos na guerra contra o Império Turco Otomano. A mesma garantia a comunidade judaica recebeu por meio da Declaração Balfour, de 9 de novembro de 1917, que assegurava toda simpatia pela instalação de um Lar Nacional Judeu na Palestina. Porém, ao mesmo tempo em que faziam tais promessas aos árabes e aos judeus, britânicos e franceses tramavam outra coisa. Em 1916, às escondidas do mundo e em total desacordo com as promessas feitas, dois diplomatas, representando os dois impérios, assinaram um tratado: o Acordo Sykes-Picot, que dividia a Turquia asiática entre eles. A Grã-Bretanha reclamava o controle da Palestina e da Mesopotâmia (depois Iraque), enquanto que a França ficava com o Líbano e a Síria*. Como não poderia deixar de ser, uma série de amotinamentos começaram a conflagrar todo o Oriente Médio, quando ocorreram violentas rebeliões árabes contra o domínio anglo-francês. Por verem a crescente presença dos judeus na Palestina como uma manobra para enfraquecer a resistência árabe, estes motins também eram dirigidos contra as fazendas e pequenos negócios que os judeus mantinham na Terra Santa.

O lar nacional dos judeus

Desde o século XIX, a comunidade judaica européia procurava uma solução para escapar do crescente anti-semitismo que se espalhava pelo continente. A ascensão do movimento nacionalista na Rússia, na Alemanha, na Áustria e na França, fomentado pelas rivalidades imperialistas, apontava os judeus como potenciais traidores da causa pátria. Desde 1882, resultado dos *pogroms* russos na época de Alexandre III, os judeus haviam formado a Chovevei Zion (Amantes de Sion), uma organização que promovia o retorno de famílias judaicas para a Palestina, então controlada pelos turcos. Em um primeiro momento, contaram com o apoio do barão de Rothschild, uma das grandes fortunas das finanças daquela época, que concordou em comprar terras na região (dispondo de seis milhões de libras entre 1884 e 1900) para restaurar o Yishuv, o antigo assentamento dos judeus na Terra Santa.

---

* A íntegra do acordo Sykes-Picot somente veio a público quando se deu a Revolução de 1917, na Rússia, momento em que os bolcheviques, tendo em mãos as cópias dos acordos secretos, resolveram expô-los ao mundo. (N. do A.)

O movimento de retorno, porém, adquiriu mais peso a partir do Caso Dreyfuss (oficial judeu francês que, em 1894, foi injustamente acusado de traição), escândalo que incitou uma enorme onda de anti-semitismo no país. A isso somou-se o crescente mal-estar da comunidade judaica no Leste europeu, seguidamente ameaçada pelos pogroms e por perseguições racistas desencadeadas pelos agrupamentos e partidos anti-semitas que não aceitavam a integração dos judeus nos direitos gerais de cidadania. Para responder a esta tensa situação, Theodor Herzen, um jornalista de origem vienense, organizou o Primeiro Congresso Sionista na Basiléia, no ano de 1897. Um ano antes, em 1896, ele havia publicado o livro *Der Judenstaat* (O Estado Judeu), lançando os fundamentos do futuro Estado judeu na Palestina. A questão judaica, segundo ele, tornara-se uma questão nacional, cujo encaminhamento caberia aos próprios judeus. O fato de um número considerável de delegados judeus terem-se reunido em uma cidade suíça incendiou a imaginação dos anti-semitas, que viram naquilo um grande complô. Um agente do serviço secreto russo, a Okrana, fez difundir um panfleto apócrifo, uma obra de encomenda, intitulado *Os Protocolos dos Sábios do Sião*, visando apontar e denunciar o andamento de uma conspiração judaica para dominar o mundo. Foi em meio a esse clima dramático, entre a idéia da formação de um Estado judeu na Palestina e um livro que infamava os judeus, que cresceu ainda mais o sentimento de que alguma coisa grave se aproximava. O Movimento Sionista assumiu então o controle das chamadas *aliyahs*, isto é, o translado de judeus para a instalação no futuro Lar Nacional na Palestina.

Esquema da política do retorno

Chovevei Zion (a partir de 1882)

↓

Congresso Sionista da Basiléia (1897)

↓

Assentamentos judaicos (1884-1939)
(aliyahs formam: kvutzah e kibutz, fazendas coletivas)

↓

Lar Nacional dos Judeus
(Haganah e Irgum, corpos de autodefesa judaica)

↓

Estado de Israel (1948)

A fundação do Estado de Israel

Não se entende a fundação do Estado de Israel, decisão adotada pela ONU em 1947 (com o apoio dos Estados Unidos e da URSS, representados respectivamente por Hershel V. Johnson e Andrei Gromyko), sem se considerar a ocorrência da grande tragédia do século, que foi o massacre da população judaica européia nas mãos dos nazistas. Durante o período que vai de 1941 até 1945, aproximadamente seis milhões de judeus pereceram nos campos de extermínio erguidos pelos seguidores de Hitler. Este genocídio abriu as portas para que o Ocidente, em aliança com a União Soviética, chocado com a extensão do horror gerado pelo anti-semitismo, entendesse ter chegado a hora de criar as condições de assegurar aos judeus sobreviventes a instalação de um Estado na Palestina, e ao mesmo tempo enfraquecer o Império Britânico no Oriente Médio e as monarquias árabes a ele aliadas.

Pensou-se assim dar um fim nas tumultuadas e injustas relações que os cristãos mantinham com os judeus desde séculos, compensando e reparando o êxodo do povo judeu, determinado pelo general Tito no ano 70, quando o Segundo Templo, em Jerusalém, foi destruído pelos romanos. Por determinação da Resolução 181, aprovada na Assembléia Geral da ONU, na sessão do dia 29 de novembro de 1947, por 33 votos contra 13, a Palestina seria partilhada entre judeus e árabes, que formariam, a partir de agosto de 1948, uma federação, procurando encontrar um denominador econômico comum para ambos os povos.

Além disso, os dois Estados se comprometeriam no cumprimento das seguintes cláusulas: 1) respeitar a integridade dos lugares santos, dos edifícios e dos sítios religiosos, sem lhes causar nenhum tipo de dano; 2) preservar o direito à liberdade de consciência e de culto, respeitando o direito das minorias; 3) acatar que todos os residentes da Palestina têm direito à cidadania e são cidadãos dos respectivos estados onde moram: 4) e que qualquer desavença entre eles será dirimida pela Assembléia Geral da ONU.

A partilha original

	Área	**População**
Estado judeu	8.850km^2 (55%)	587 mil judeus e 397 mil árabes
Estado árabe	7.240km^2 (45%)	804 mil árabes e 10 mil judeus

A catástrofe palestina

A Resolução 181, que de fato retomou com algumas alterações o plano britânico de 1937 de partilha da Palestina, foi imediatamente rejeitada por todo o mundo árabe. Os palestinos entenderam a fundação de um Estado Sionista como o prolongamento da anterior ocupação colonialista. Saíram os britânicos e chegaram os judeus da Diáspora, apoiados pelos americanos e pelos soviéticos. O resultado disso é que os palestinos perderam suas terras, tendo que se dispersar pelas regiões vizinhas ou acabar confinados em 59 acampamentos muito exíguos, na Cisjordânia e na Faixa de Gaza. Se os judeus tiveram que sobreviver no seu passado recente ao terrível experimento do Holocausto, os palestinos passaram a chamar o surgimento do Estado de Israel de Nakba, a Catástrofe.

Situação trágica que somente piorou, pois a cada guerra que os árabes perderam ao longo desse meio século, mais extenso e mais forte ficou o Estado de Israel, que hoje ocupa 20.770 km^2. Situação que somente se agrava e eleva ainda mais a tensão entre palestinos e israelenses, devido à política de implantação de assentamentos judaicos nas áreas árabes, intensificada depois do Congresso Sionista de 1968 (são duzentos mil colonos na Cisjordânia e seis mil em Gaza, protegidos permanentemente pelo exército israelense, o Tzahal, que é o mais poderoso e eficiente exército do Oriente Médio e o único até agora invicto).

Para manifestar sua desconformidade com a ocupação a que estão submetidos, inúmeros palestinos, desde 1965, quando da fundação da Organização para a Libertação da Palestina (OLP, também chamada de Al-Fatah), aderiram a práticas terroristas. Dentre estas, espetaculares atentados praticados pelos sahyds, os mártires de Alá, militantes suicidas que voluntariamente se oferecem para explodir-se em lugares públicos, vitimando civis israelenses de maneira indiscriminada. Gerou-se assim um clássico cenário de uma guerra colonial *sui generis*: os imigrantes judeus que lá desembarcaram a partir de 1948 não são iguais aos franceses da Argélia ou aos afrikanders sul-africanos, pois não têm uma metrópole na retaguarda para a qual possam algum dia retornar.

Desta forma, a solução encontrada pela ONU para resolver a Questão Judaica, por vias tortas e imprevistas, engendrou a Questão Palestina, o que levou os dois povos a viverem em um permanente clima de guerra civil. Para eles, a paz está muito longe de ser encontrada, visto que se confrontam na Terra Santa não só os seguidores de Jeová contra os de Alá, mas também dois nacionalismos: o sionista e o árabe.

Palestinos refugiados

População local	Registro de palestinos refugiados	% de refugiados no total da população	Número de campos
Líbano: 3.400.000	352.668	10,4	12
Síria: 14. 618.393	347.391	2,4	10
Jordânia: 4. 139.458	1.358.706	32,8	10
Gaza: 963.000	716.930	74,4	8
Cisjordânia: 1.571.575	532.438	33,9	19
	3.308.133		

As guerras árabe-israelenses e os levantes palestinos

Ano	Denominação	Descrição
1948	Guerra de Independência de Israel	Israel contra as monarquias árabes e a república da Síria. A vitória resultou no alargamento do território original de Israel.
1956	Guerra do Suez	Israel junta-se às forças colonialistas da França e da Grã-Bretanha para uma rápida campanha contra o Egito.
1967	Guerra dos Seis Dias	Israel ataca de surpresa todos os seus vizinhos, chegando até o canal de Suez. Ocupa o restante da Palestina, as colinas de Golan, bem como Jerusalém oriental. Foi sua maior vitória militar até então, fazendo com que controlasse 75% do território.
1973	Guerra do Yom-Kippur	Israel é atacado de surpresa por seus vizinhos mas rapidamente consegue contra-atacar e submeter parte do exército egípcio ao cerco.
1982	Invasão do Líbano	Israel invade o Líbano para destruir as bases da guerrilha da OLP. Bombardeio de Beirute e formação da Zona de Segurança na fronteira israelense-libanesa, ocupação que se estendeu por vinte anos.
1987-1993	A Primeira Intifada	Levante popular palestino nos territórios ocupados por Israel desde 1967.
2000	A Segunda Intifada (Al-Aqsa Intifada)	Depois do incidente da Esplanada durante a visita do general Ariel Sharon, explode um levante em massa dos palestinos nos territórios ocupados, seguidos de atentados suicidas de integrantes do Hamas e Jihad Islâmica.

O impasse

Nenhum dos dois lados, nem israelenses nem árabes, têm como de vencer o conflito em condições definitivas. Em primeiro lugar, porque Israel, particularmente depois da defecção do regime do xá do Irã em 1979, ocupa um importante lugar na estratégia norte-americana para o Oriente Médio. Região que, no seu subsolo, concentra mais de 60% das reservas de petróleo conhecidas e que está ameaçada por conturbações políticas e religiosas intermitentes, tornando o Estado Judeu o único aliado realmente estável e confiável em toda aquela área vital. Isto faz com que os EUA, com inimagináveis recursos atômicos, subsidiem Israel com auxílios econômicos e militares impressionantes (ao redor de três bilhões de dólares anuais). Os adeptos de Yasser Arafat, por sua vez, apesar de mal conseguirem manter o governo da Autoridade Nacional Palestina, instituição criada a partir dos acordos de Oslo de 1993, potencialmente contam com o apoio de mais de cem milhões de muçulmanos vizinhos e com os recursos econômicos, ainda que contidos, dos principais produtores de petróleo da área. Tudo depende, pois, do arrefecimento do ódio desencadeado entre os dois povos nesses anos todos de enfrentamentos sangrentos que conspurcam a Terra Santa e do reconhecimento de que a antiga Palestina deve abrigar dois estados, como determinou a ONU em 1947.

30
Osama bin Laden, o solitário do Islã

Deixem a Arábia Saudita ou morram.

Osama bin Laden, 1995

A sua "Província de la Mancha" estende-se do Deserto Arábico aos montes Pamir, no extremo oriental do Afeganistão. Seu *Rocinante* é um jumento anônimo de quem ele se serve para deslocar-se pelas montanhas e vales afegãos desde os tempos da guerra contra os soviéticos. Magro e hirto, altíssimo, com a barba profética caindo-lhe pelo peito, ergueu-se do fundo da sua caverna em Tora Bora, nos altos de Cabul, para com seu dardo vingador atingir os ímpios americanos. Empunha a vingadora lança islâmica para "desfazer agravos e sem-razões".

Osama bin Laden, uma espécie de Dom Quixote árabe, é o mais espetacular ativista do fundamentalismo islâmico dos dias que correm. É possível que também "tenham-lhe secado os miolos", como deu-se com Dom Quixote em sua obsessiva leitura de livros de cavalaria. Osama bin Laden é um devoto da literatura corânica, cujas obras máximas mantém em livros de rica encadernação, cuidadosamente guardados em uma biblioteca no seu fortim rochoso. Entretanto, se o cavaleiro da triste figura era um fidalgo pobre, Bin Laden, o cavaleiro do Islã, é rico. Riquíssimo. Trata-se de um dos herdeiros de uma proeminente família originada da província de Hadbramut, no Iêmen, cujo patriarca, o pai de Osama, fez fortuna na construção civil saudita, inclusive erguendo as instalações das bases aéreas norte-americanas Rei Caled e Príncipe Sultan.

Ao contrário da geração dos jovens árabes endinheirados ou talentosos que se graduavam no exterior nos anos 50 e 60 e que voltavam de Londres ou de Paris empolgados com o socialismo, com o secularismo e com a modernização, a geração de Osama bin Laden pertenceu a uma safra de desencantados. O seu círculo de amizades na Inglaterra, onde se diplomou nos finais dos anos 70, era o dos estudantes fundamentalistas da Al-Ikhwan (a Irmandade Muçulmana), organização fundada em 1928 pelo xeque egípcio Hassan El-Banna. A grande onda de entusiasmo pela descolonização e independência que sacudira o mundo árabe nos anos 50 e 60 já havia passado. Conscientes da inexpressividade dos seus governos secularizados, impotentes e humilhados pelas sucessivas vitórias de Israel e pela superioridade avassaladora da tecnologia ocidental, eles voltaram-se para trás, para os tempos remotos do Islã.

Idealizando o passado

> *Alá é o nosso objetivo/ A mensagem é o nosso líder/ O Corão é a nossa lei/ A Guerra Santa o nosso caminho/ Morrer no caminho de Alá é a nossa maior esperança.*
>
> Tema da Irmandade Muçulmana

Em suas fantasias regressistas, os integrantes da Irmandade idealizaram o passado grandioso da Jihad – a guerra santa maometana dos séculos VII e VIII –, a Idade de Ouro do Islã. Época em que o mundo assistiu com assombro ao expansionismo do Crescente. Tempos em que a bandeira verde do Profeta tremulava simultaneamente nos Pirineus espanhóis e nas margens do Gujarat no oceano Índico, milhares de quilômetros distantes uma da outra. Portanto, a salvação do Islã estava em recuperar a bravura e a moralidade daquelas épocas primeiras, quando o mundo árabe ainda não havia sido profanado pela imoralidade e pelo materialismo ocidental. Tendo como objetivo a ressurreição disso é que emergiu a Irmandade Muçulmana (*Al-Ikhwan Al-Moslemoon*).

A Irmandade Muçulmana

O credo e o Estado/ O livro e a espada/ o modo de viver

Os princípios da Irmandade

A Al-Ikhwan surgiu nos anos vinte no Egito, com irradiações posteriores para outros países árabes, em razão da continuidade do processo de colonização do Oriente Médio encetado pelas potência imperiais européias: a Grã-Bretanha e a França, depois da Primeira Guerra Mundial, vencido o Império Otomano, dividiram as nações árabes entre si. Sentindo a presença do colonialismo cristão como um agente dissolvente da cultura islâmica, algumas lideranças laicas e religiosas uniram-se para estabelecer uma estratégia de ação. Estratégia essa que recuperasse a auto-estima do povo árabe, retomando os valores abençoados do Corão, lançando-se no estudo, na obediência à Sunna (a lei sagrada), praticando a ascese, a política ativista, cuidando da saúde e do vigor do corpo. Tudo isso, é claro, além de intensificar o estudo científico e encontrar um suporte econômico para a irmandade, a fim de manter os laços fraternos entre os membros da sociedade islâmica.

Objetivos da Irmandade

No sentido mais amplo, a Irmandade Muçulmana se propõe a construir:

- um indivíduo muçulmano, forte de corpo e com boa formação cultural, educado e consciente;
- a família muçulmana, mantendo as crianças dentro da formação educacional islâmica;
- a sociedade muçulmana, formada por indivíduos e famílias que atuem dentro da realidade em que vivem;
- o Estado muçulmano;
- a Khilafa, a unidade de todos os estados muçulmanos;
- assenhorar-se do mundo para o Islã.

Contra os soviéticos

Diplomado e de volta à Riad, a capital da Arábia Saudita, onde poderia passar o resto dos seus dias deliciando-se com a vida de herdeiro rico, Bin Laden porém inclinou-se pelas coisas da fé. Quando as tropas soviéticas adentraram no Afeganistão, em 1979, para apoiar o regime socialista de Cabul, ameaçado por uma revolta fundamentalista, ele foi acometido por um furor de indignação. As botas ímpias dos russos ateus estavam a profanar o solo islâmico afegão.

Apoiado na sua enorme fortuna pessoal (estimada em US$ 200 milhões, mas muitos consideram essa cifra exagerada) e nos seus conhecimentos técnicos, Bin Laden, assessorado pelo dr. Ayman al-Zawahari, o seu lugar-tenente, tratou de prover os *mujadhins*, os guerrilheiros islâmicos, de uma infra-estrutura para resistir à presença daquela infâmia. Guerreiros imbatíveis nas montanhas do Afeganistão, os lutadores de Alá fizeram os soviéticos recuar. Dez anos depois, em 1989, Bin Laden voltava para casa, onde o receberam como herói.

O convívio com os talibãs (palavra persa que significa "estudante"), os jovens soldados-seminaristas pudicos e sóbrios do Afeganistão, alterou, porém, as perspectivas de bin Laden. A corte de Riad, com o rei Fahd esbanjando dinheiro e imerso na luxúria consumista, tão comuns entre os príncipes e mandões árabes, pareceu-lhe um ninho da devassidão. Vindo da guerra e das imensas privações pelas quais passavam os afegãos, repugnaram-no os excessos que ele viu no meio dos ricaços sauditas. Tomou-se do mesmo sentimento de indignação que acometeu o padre Savonarola com as extravagâncias dos ricos de Florença no século XVI.

Saddam Hussein surpreende

Urgia, pensou ele, trocar o regime. Por que não derrubar a monarquia Saudita e, no seu lugar, fundar uma República Islâmica? Ela seria uma variante sunita da República Xiita do Irã. Entretanto, os desatinos que Saddam Hussein cometeu no Kuwait em 1990-1991 atrapalharam-lhe os planos. Para afastar os iraquianos de cima dos riquíssimos lençóis de petróleo, dentro da operação Tempestade no Deserto, milhares de soldados norte-americanos e aliados desembarcaram na Península Arábica, adonando-se em pouco tempo da região inteira (os Estados Unidos já tinham bases aeronavais na Arábia Saudita, Kuwait, Bahrain, Emirados Árabes, Catar, Oman e Iêmen).

Depois da aplastante derrota de Saddam Hussein no Kuwait, em 1991, Bin Laden trocou de inimigo. Desagradou-lhe a parcialidade dos ocidentais no trato com os iraquianos. Bagdá – a Medina Bagdá – viu-se bombardeada, e o Iraque, isolado por um severo embargo econômico, enquanto que o Estado de Israel, que plantava assentamentos em território palestino, era claramente protegido pelos Estados Unidos e pelos europeus em geral. Afinal, teria perguntado ele em carta ao monarca saudita, quando os americanos iriam embora da Terra Sagrada?

Igualmente, viu no americano um odioso símbolo do materialismo moderno. Aqueles novos semideuses tecnológicos, com seus jatos e mísseis, com sua comida ligeira, com o seu rock, a propaganda erótica e desabusada, estavam destruindo o mundo de Bin Laden. Corroendo as bases morais da sociedade islâmica. Para ele, a cultura ocidental, agora que a vira agindo em seu próprio país e nos emirados do Golfo, era uma aliança demoníaca entre o consumismo e o despudor. De anti-soviético ele converteu-se em antiamericano. Em uma entrevista dada em 1998, Osama explicou o que suas palavras de ordem visavam:

"O chamado para a guerra contra a América foi feito em razão da América estar à testa da cruzada contra as nações islâmicas, aquartelando milhares de seus soldados na terra das duas Mesquitas Sagradas [Arábia Saudita], *além de interferir nos assuntos e na sua política interna, dando apoio ao regime opressivo, corrupto e tirânico controlado por ela.*

Estas são as simples razões pelas quais os Estados Unidos tornaram-se um alvo. E não isentamos da responsabilidade os regimes ocidentais cuja presença na região deve-se ao apoio que dão às tropas americanas que lá estão. Por último, sabemos a razão da sustentação deles por detrás da sua participação simbólica, que é dar cobertura aos planos sionistas para a expansão do que é chamado de Grande Israel... a sua presença não está fora do que concerne aos interesses que eles possuem na região. (...) Eles arrancam a nossa riqueza, nossas reservas e petróleo. Nossa religião encontra-se sob ataque. Eles matam e assassinam os nossos irmãos. Ofendem a nossa honra e a nossa dignidade, e, quando lançamos uma só palavra de protesto, somos chamados de terroristas."

Exilado no Sudão

Fracassado na sua conspiração contra o rei Fahd, Bin Laden retirou-se para o Sudão em 1991, onde se pôs a construir uma estrada de 1.200 quilômetros de Cartum a Port Sudam. Teria sido em Cartum, supõe-se, logo após lhe terem cassado a cidadania saudita, em 1994, que ele determinou os dois violentos atentados aos quartéis americanos, um em Riad e o outro na Khobar Tower, respectivamente em 1995 e 1996.

O seu instrumento operacional, a sua lança para estocar os americanos, fora a Jihad Islâmica egípcia, a mesma seita fundamentalista que praticara o atentado que matara Anuar el-Saddat, o presidente do Egito, durante um desfile militar, em 1981. Os norte-americanos colocaram, então, a cabeça de Osama bin Laden a prêmio: o Departamento de Estado, naquela ocasião, ofereceu cinco milhões de dólares para quem desse informações a seu respeito (em 2003, a quantia oferecida já havia subido para 25 milhões).

De volta ao Afeganistão

Então, caçado como um criminoso, Bin Laden refugiou-se, em 1996, no Afeganistão, bem mais seguro, buscando abrigo junto aos seus amigos talibãs (que depois dariam uma manifestação de absurda intolerância e estupidez ao mandarem destruir os budas gigantes dos tempos pré-islâmicos do Afeganistão).

Na aspereza das montanhas Tora Bora, tal qual um eremita, convivendo entre a pobreza e o ascetismo, protegido pelo fantástico Elmo de Mambrino, que a cobertura dos talibãs lhe oferecia, ele teria ordenado a destruição de duas embaixadas norte-americanas, uma em Nairóbi, no Quênia (utilizada como QG da CIA), com 214 mortos, e outra em Dar es Salaam, na Tanzânia (onze mortos), em agosto de 1998. Seguramente ele foi o mentor dos atentados ao World Trade Center e ao Pentágono, ocorridos nos Estados Unidos em 11 de setembro de 2001, justificando-os como uma justa represália aos sofrimentos infligidos às crianças da Palestina, do Iraque, e da Caxemira. Os atentados de 1998 fizeram com que naquele mesmo ano a Liga Árabe, por pressão americana, assinasse o Tratado Anti-Terrorismo Pan-Arábico, no qual os 22 signatários comprometeram-se a agir em conjunto contra a Al Qaeda*. A invasão americana do Afeganistão, e a subseqüente

* A Al Qaeda (a Base) deu seus primeiros passos como uma instituição arrecadadora de recursos para sustentar a guerrilhas anti-soviéticas no Afeganistão. Usando da sua influência junto aos homens ricos sauditas e dos emirados vizinhos, não foi difícil para Osama bin Laden obter tais recursos. Em seguida, ela transformou-se em agência de voluntários, mobilizando e convocando o mundo islâmico para a luta contra o comunismo ateu que ocupava Cabul, arregimentando mais de dez mil homens (uns cinco mil sauditas, três mil iemenitas, dois mil e oitocentos argelinos, dois (cont.)

derrocada do regime do talibã, a partir de outubro de 2001, deu-se para tentar desentocar Osama bin Laden das montanhas de Tora Bora. Este estranho homem medieval, um dos últimos zelotes do mundo árabe, organizador e alma da Al Qaeda, trava desde então uma incrível guerra, quase que solitário, contra o maior império do mundo.

---

mil egípcios, quatrocentos tunisianos, trezentos e cinqüenta iraquianos, duzentos líbios e diversos jordanianos) para irem combater no Afeganistão. Esses combatentes dali em diante passaram a ser chamados de "árabes afegãos". Somente em 1989, com o ingresso de Muhamad Atef e a adesão do xeque afegão Omar Abdel Rahman, ele voltou-se inteiramente para travar uma luta de vida e morte contra a presença militar norte-americana na Arábia Saudita, no Iêmen e em outras partes do Islã. (N. do A.)

31

Shamil Basayev, o guerreiro de Alá

Desde que a ex-República autônoma da Chechênia proclamou-se independente da Federação Russa (ex-URSS), em 1991, um nome começou a surgir no noticiário internacional: o de Shamil Basayev. Tratava-se de um ex-estudante checheno, nascido no lugarejo de Vedeno em 1965, formado em Moscou, e que pegara em armas para lutar contra a negativa dos russos em ceder a autodeterminação completa daquela pequena nação do Cáucaso. Não demorou muito para que as suas façanhas, classificadas pelas autoridades de puro banditismo, fizessem dele o inimigo público mais procurado pelas autoridades russas. Chamaram-no, esse guerreiro de Alá, de o Che Guevara do Cáucaso.

A tradição de rebeldia

Basayev, cujo primeiro nome, Shamil, é uma homenagem ao imã Shamil (um herói da resistência chechena à ocupação russa, ocorrida por meio de três guerras de invasão no século XIX), considera-se um herdeiro da tradição de luta contra o moscovita. Embate em que ele é favorecido pelas condições geográficas do Cáucaso, onde elevadas e inacessíveis montanhas alternam-se com vales isolados, pontuados por cavernas e grutas que formam um santuário natural para as táticas guerrilheiras. Até recentemente, as questões de ordem religiosa, particularmente a causa islâmica, não preenchiam o cenário ideológico de Basayev. Ele queria era combater os russos, fazê-los sangrar. Via-se como um senhor de guerra das montanhas, uma espécie de líder tribal, não como um missionário armado do Islã. O ódio aos russos aumentou ainda mais quando onze membros da sua família foram mortos em um bombardeio, provavelmente na tentativa de atingi-lo, sobre a vila em que nascera.

Com a recusa da Federação Russa em reconhecer a independência da Chechênia (devido à sua situação estratégica, ponto de conversão dos interesses petrolíferos russos no mar Cáspio), Basayev fez sua entrada no mundo da ação por meio de um seqüestro espetacular. Em 1991, em uma ousadia espantosa, dominou a tripulação de um avião russo que decolara do aeroporto de Minerlnoye Vody, no sul da Rússia, ordenando que ele aterrizasse em Ancara, na Turquia. Lá, denunciou à imprensa internacional sua intenção de mover guerra à Rússia até que fossem reconhecidos os direitos dos chechenos à plena autodeterminação. Complacente, o governo turco permitiu que ele clandestinamente voltasse ao Cáucaso para novas aventuras.

Em 1994, depois de uma intensa negociação entre o governo de Boris Yeltsin e as lideranças rebeldes, deram-se eleições na Chechênia, nas quais Basayev concorreu à presidência da república. Ele ter se classificado em segundo lugar fez com que o presidente eleito, em um gesto de unidade, o chamasse para o posto de primeiro-ministro. Sua carreira política foi um desastre. O gosto pela luta, a alma dominada pelo espírito da guerra fez com que ele se mostrasse inapto a levar uma vida rotineira de um chefe político ou partidário. Em 1995, retomou a guerra contra os russos. Com cento e cinqüenta companheiros, tomou de assalto um hospital na cidade russa de Budyonnovsky, o qual evacuaram depois de tensas negociações.

Ampliando a luta

Tempos depois, Basayev, aliado ao saudita Khatab, um guerreiro andarilho e fundamentalista islâmico apoiado por Osama bin Laden, comandou uma coluna de mil combatentes chechenos que invadiram o vizinho Daguestão, uma república de pouco mais de dois milhões de habitantes, protegida pela Rússia. O plano era claro: ampliar o *front* da luta anti-russa e levar, em seguida, por meio de atentados seletivos, a guerra ao próprio solo russo. A reação de Moscou foi implacável. Bombardeios russos devastaram mais de setenta aldeias e lugarejos das montanhas que fazem fronteira entre a Chechênia e o Daguestão, entre outras razões porque Shamil Basayev ordenara (segundo ele confessou à imprensa) a dinamitação de três edifícios na Rússia. O ataque ocorreu entre 31 de agosto e 16 de setembro de 1999 e provocou a morte de 293 civis moscovitas e de outras cidades russas. Outra operação, provavelmente orientada por ele, a tomada de um teatro em Moscou por um comando checheno suicida, igualmente provocou um número espantoso de vítimas.

A luta de Shamil Basayev na Chechênia e, mais recentemente, no Daguestão deve ser vista em um espectro bem mais amplo, pois faz parte de um levante dos fundamentalistas islâmicos da Eurásia, insurgência que já se estende por mais de dez anos, com o objetivo de transformar aquela região em uma confederação de nações muçulmanas, todas elas comprometidas a aplicar as leis corânicas. A intensidade dos combates e a crescente importância dos guerreiros de Alá dão-se em razão de a área do Cáucaso e do mar Cáspio ser considerada um dos grandes reservatórios de petróleo e de gás natural do mundo, fazendo-a tão importante como o Golfo Pérsico. Ela, a pequena Chechênia, está no centro do interesse da Rússia, do Ocidente e, agora, dos fundamentalistas islâmicos, que querem o controle da região para contar com os seus recursos na grande luta que travam na restauração da *Umma*, a comunidade muçulmana.

32
O Terror: a terrível espada de Alá

O incrível atentado que derrubou as duas torres do World Trade Center de Nova York e que, em seguida, atingiu também o Pentágono, em Washington, deita suas origens na política norte-americana para com o Oriente Médio. A indiferença do Ocidente para com o destino sofrido dos palestinos e dos civis iraquianos, à qual se junta a presença militar imperial anglo-americana, recolonizadora de parte do Oriente Médio, criou o caldo de cultura que engendrou a terrível tragédia que se abate sobre os cidadãos nova-iorquinos e sobre os norte-americanos em geral – na verdade, a maior de todos os tempos.

Óleo e estratégia

> *Prevemos um dia negro para a América e o fim dos Estados Unidos como Estados Unidos, quando se separarão em estados, retirando-se da nossa terra e recolhendo dela os corpos dos seus filhos, levando-os de volta à América. É a vontade de Alá!*
>
> Osama bin Laden, 1998

Deu-se um pouco antes da Primeira Guerra Mundial, no ano de 1913, uma notável decisão que renderia profundas repercussões históricas. Winston Churchill, então Lord do Almirantado da Marinha Britânica – a mais poderosa e numerosa frota do mundo –, decidiu-se por dotar todos os seus barcos de caldeiras movidas a óleo e não mais a carvão, como era o costume. O seu empenho em fazer aprovar no parlamento de Londres uma lei baseada em um memorando de sua autoria – o *Abastecimento de Petróleo para a Armada de Sua Majestade* colocou assim, em um só gesto, o Oriente Médio como um lugar estratégico fundamental para o futuro do Império Britânico.

A Anglo-Persian Oil

O motivo da alteração da matriz energética era que reservas de petróleo eram mais fáceis de serem encontradas e postas à disposição da esquadra britânica, espalhada pelos mares e oceanos do mundo inteiro. Como complemento, para livrar-se da dependência de um só fornecedor, no caso a Shell, Churchill chegou ao ponto de proceder a compra das ações da Anglo-Persian Oil – empresa que havia encontrado imensas jazidas no Irã –, aprovada pelos deputados por 254 votos contra 18.

A partilha do Oriente Médio

Terminada a Primeira Guerra Mundial, com a vitória da *Entente Cordial* (Reino Unido – França e, no final, os EUA), ingleses e franceses, obedientes ao Sykes-Picot *agreement*, agindo como ladrões de caravanas, dividiram entre si o Oriente Médio – cuidando, os ingleses, de deixar seus parceiros com áreas onde o preciosíssimo viscoso se fazia ausente (Líbano e Síria). Para atingir o objetivo de expulsar os turcos otomanos da região, os britânicos chegaram ao extremo de estimular a revolta de tribos beduínas do deserto (lideradas por Lawrence da Arábia, um oficial de espionagem), assegurando a elas independência política. Chegaram a prometer, pela Declaração Balfour, de 1917, um lar nacional para os judeus na Palestina. Promessas todas elas esquecidas assim que a guerra acabou.

Somado à questão da estratégia militar, um outro fator entrou em ação, fazendo do óleo algo mais importante ainda: o crescimento espantoso da indústria automotiva. Nos Estados Unidos, na Grã-Bretanha, na França, na Itália e na Alemanha, as fábricas de automóveis, caminhões, ônibus e tratores, todos movidos a óleo e seus derivados, brotaram como cogumelos depois da chuva. Razão para os britânicos se aferrarem mais ainda ao controle do Oriente Médio. Além de possuir o Egito e os pequenos emirados árabes do Golfo Pérsico, a autoridade de Sua Majestade agora se fazia presente em Amã, na Jordânia; em Jerusalém, na Palestina; e em Bagdá, antiga província da Mesopotâmia. Todo o cinturão petrolífero lhe pertencia. Somente cederam parte dele aos americanos quando a Grande Depressão também abateu o Reino Unido, na década de trinta.

A ressurreição do Islã

Curiosamente foi obra deles, dos anglo-americanos, a promoção, ainda que indireta, da ressurreição do Islã. Em assombrosa decadência desde o século XVI, quando as rotas oceânicas para as Índias, desbravadas pelos cristãos ibéricos, tornaram-se rotineiras, o Oriente Médio estagnara na pobreza, na perplexidade e na autocomiseração. Estudiosos do pensamento árabe constataram que, a partir daquela época dos descobrimentos, as doutrinas fatalistas tornaram-se hegemônicas naquela região, atitude espiritual que os fez se conformarem com a paralisia geral, com o que entendiam ser a vontade do Criador do Universo, sufocando assim qualquer perspectiva de reação. Situação que só se alterou quatro séculos depois, com a chegada em massa da libra esterlina e do dólar.

Os ingleses, ao cessarem com o domínio direto sobre o Oriente Médio no pós-Segunda Guerra Mundial, trataram de garantir que a área ficasse em mãos de gente sua. Obedientes à velha doutrina imperial do *indirect rule*, do governo indireto, plantaram, do Reino do Egito ao Emirado de Omã, monarcas, xás e emires da sua absoluta confiança, enquanto os norte-americanos, por sua vez, encarregavam-se de apoiar o Estado de Israel. Para combater o nacionalismo secular e o ideário marxista que emergira na região depois da Segunda Guerra Mundial, instituições anglo-americanas estimularam a proliferação de escolas religiosas islâmicas: os imãs, os aiatolás, os *faqihs*, os *shaikhs*, os pregadores murabitas foram retirados dos templos, das grutas e das tocas medievais onde muitos se encontravam e postos a exorcizar os perigos do secularismo e do comunismo no mundo árabe. O turbante, a barbicha, a invocação a Alá, as récitas foram, pois, trazidos à liça da luta ideológica travada durante a Guerra Fria. Naquela ocasião, os interesses ocidentais não viram mal algum em estimular o fundamentalismo para utilizá-lo como antídoto à subversão.

O passado volta à vida

Porém, recentemente, deu-se um outro fenômeno. Estas sombras do passado, ao adquirirem vida, sentiram nos soldados anglo-americanos – que desde a Guerra do Golfo, em 1991, recolonizaram a região – elementos dissolventes, ameaçadores do *Haram*, o lugar santo, cuja presença herética conspurca a Terra Sagrada do Islã. Helicópteros e metralhas sobre Jerusalém, botas em Riad, bombas sobre Bagdá completaram o ciclo trágico. Bastou, então, um só *sayyid*, um líder de homens, comandando uma dezena ou mais de *shahids*, de mártires, para que a espada vingadora de Alá, descendo dos céus, abatesse, em Washington e Nova York, os mais poderosos símbolos do poder do Ocidente, desencadeando um novo ciclo de guerras de final distante e imprevisível.

33
O petróleo do Iraque

Não me preocupa sob qual sistema controlamos o petróleo, mas tenho muito claro que é de vital importância que esse petróleo esteja à nossa disposição.

Lord Balfour, Ministro das Relações Exteriores do Império Britânico, agosto de 1918.

Calouste Gulbenkian, um armênio espertíssimo, jovem gênio formado aos 19 anos em Engenharia de Minas pelo King's College de Londres, fora enviado, em 1887, a Bagdá pelo pai, para supervisionar parte do patrimônio da família lá investido. Conta a lenda que o jorro de um poço de petróleo que o embebeu da cabeça aos pés tornou-o um apaixonado pelo "sangue da terra". Ampliando a vista sobre toda a Mesopotâmia, então no controle do Império Otomano, Gulbenkian entrou em contato com os engenheiros ferroviários alemães que por lá andavam envolvidos na construção das estradas de ferro Berlim-Bagdá. Queria que lhe indicassem, naquela vastidão desértica, onde haviam avistado vestígios do precioso líquido. Um pouco antes da Grande Guerra de 1914-18 estourar, ele assinou um fabuloso contrato com ingleses e com alemães (Anglo-Persian Petroleum, Deutsche Bank e Shell), fundando a Turkish Petroleum Company. Ainda que sem direito a voto, Gulbenkian embolsaria 5% das operações do consórcio que iria explorar aqueles subsolos riquíssimos, graças à sua intermediação junto ao Império Otomano, então dono da área. Passaram a chamá-lo Mister Cinco Por Cento!

Com a guerra e a derrota alemã, os vitoriosos ingleses, que

haviam ocupado Bagdá em 1917, na guerra contra os turcos, fizeram então uma nova parceria para continuar nos negócios da prospecção do petróleo. Desde 1915 ou 1916, dois altos funcionários, Mister Sykes e Monsieur Picot, trabalharam na partilha anglo-francesa da Mesopotâmia, entendendo-a como a região mais promissora de todo o Oriente Médio por ter água e, possivelmente, óleo. Os franceses queriam ficar com o norte dela, com Mossul, onde em cada colina se tropeçava em um poço; os ingleses queriam-na toda, dando a Síria à França como compensação.

Acertaram-se por fim no Acordo de San Remo, em abril de 1920, ocasião em que o primeiro-ministro britânico Lloyd George fixou a participação francesa em 25% do petróleo a ser extraído da Mesopotâmia. Para tanto, para abocanhar a sua parte, a França fundou, em 1924, sob orientação do presidente Poincaré, a Compagnie Française de Pétroles (CPF), que se adonou do espólio dos alemães.

Avançando mais, estabeleceram o Acordo da Linha Vermelha, de 1928, um traçado anglo-francês ao redor do quadrilátero turco-árabe que englobava na exploração conjunta a maior parte dos futuros campos de petróleo do Oriente Médio. Ficaram de fora a Pérsia e o Kuwait, totalmente nas mãos dos britânicos. Os norte-americanos, naquela época, ainda não tinham vez. Quando dois geólogos da Standard Oil, leia-se John Rockefeller, andaram revirando as margens sagradas do Tigre, o comissário britânico entregou-os à polícia de Bagdá como se fossem espiões.

A imprensa americana, esbravejando contra o Acordo de San Remo, denunciou a manobra anglo-francesa como "um imperialismo fora de moda", pois infringia a igualdade de direitos dos aliados vitoriosos em 1918. Pior ainda, ignorava o princípio da *Open Door Policy*, a política das Portas Abertas, defendida pelos Estados Unidos desde 1899, nos tempos de Theodore Roosevelt, pela qual os americanos reclamavam idêntica participação nos direitos de exploração colonial.

Em 15 de outubro de 1927, aconteceu o grande achado. Mal a perfuradeira penetrara quinhentos metros no subsolo do poço Baba Gurgur nº 1, nas cercanias de Kirkuk, ouviu-se um notável estrondo, e o jato de óleo, como se fora uma tromba de elefante, não parou mais (até que fechassem o poço, o esguicho atingiu 95 mil barris/dia). Foi o começo da era de ouro do petróleo mesopotâmico. Algum tempo antes, Winston Churchill, então chefe do Departamento Colonial do Império Britânico, precavido, tratara de criar um regime fantoche no Iraque. Adotando a prática do *Indirect Rule*, tão ao gosto dos ingleses, de um governo indireto assumido por um títere, ele escalara Faisal, filho de Hussein, o xerife de Meca, como rei do Iraque, entronando-o em Bagdá em agosto de 1921. A função do novo monarca era dar legitimidade às concessões feitas às companhias petroleiras. Enquanto isso, Abdula, irmão de Faisal, recebia dos ingleses o então emirado da Transjordânia (o reino da Jordânia dos nossos dias).

Assim nasceu a "dinastia" Hachemita, que, como ninguém, ao longo do século XX, seguiu fielmente o velho provérbio árabe que ordenava "nunca morda a mão que te domina, beije-a". Até que o ramo iraquiano dessa família de colaboracionistas foi derrubado pelo sangrento golpe republicano de 1958. O novo homem forte do governo iraquiano, o general Karim Qassem, inspirado pelo nasserismo, tratou então de reordenar o mundo dos produtores, chamando os principais exportadores para Bagdá, onde, entre 8 a 14 de setembro de 1960, fundou-se o cartel da Organização dos Países Exportadores de Petróleo (OPEP).

Em 1972, um dos seus sucessores, Saddam Hussein, foi mais longe ainda ao nacionalizar a Irak Petroleum Company, apelidada "a velha dama de Londres", que desde 1982 explorava o petróleo iraquiano. Processo que possivelmente, com a ocupação militar anglo-americana do Iraque iniciada em março de 2003, será revertido. O sintomático disso, da importância que o petróleo iraquiano tem para as potências anglo-saxãs que ocuparam a capital, é que o único prédio público que foi protegido pelas tropas invasoras do vandalismo que se abateu sobre Bagdá foi justamente o prédio do Ministério do Petróleo. O que não é para menos, visto estimar-se que a reserva iraquiana, avaliada como a segunda em importância no mundo inteiro, oscila entre 115 a 220 bilhões de barris com condições de serem explorados pelos próximos 140 anos.

34

As guerras do Golfo Pérsico

A região do Golfo Pérsico foi, por séculos a fio, uma área pobre, esquecida e abandonada do mundo. Só despertava o interesse das expedições arqueológicas, visto ser o epicentro das imemoriais culturas mesopotâmicas, nascidas nas margens dos rios Tigre e Eufrates (como a caldéia, a assíria e a babilônica, consideradas matrizes da civilização). Historicamente, o Golfo Pérsico separa o mundo árabe dos persas e, até 1918, fazia a fronteira entre o reino da Pérsia e o Império Turco Otomano, a verdadeira potência daquela região. Até então, o Império Britânico tinha uma pequena presença por lá, limitando-se a tutelar, desde o século XVIII, o emirado do Kuwait e a controlar o estreito de Omã.

Algo espetacular, porém, ocorreu em 1908. No subsolo da Pérsia, encontrou-se um rico lençol de petróleo, o suficiente para que a *Royal Navy*, a esquadra britânica, substituísse, a partir de 1914, o carvão por óleo, como o principal combustível dos seus navios, tornando o Golfo Pérsico um lugar estratégico importantíssimo. Em 1917, os britânicos, em guerra contra o Império Turco, conquistam Bagdá, tornando-a sede do seu domínio sobre a antiga Mesopotâmia.

Novos lençóis de petróleo foram encontrados nos anos vinte e trinta do século XX no Iraque, no Kuwait, nos Emirados Árabes e também na Arábia Saudita, sendo explorados por companhias britânicas e depois americanas. Neste período, com a explosão da indústria automobilística e a subseqüente revolução dos transportes, o petróleo do Golfo Pérsico passou a ser mais importante ainda. Hoje, estima-se que o subsolo da região abrigue dois terços das reservas mundiais, ou seja, 696,2 bilhões de barris.

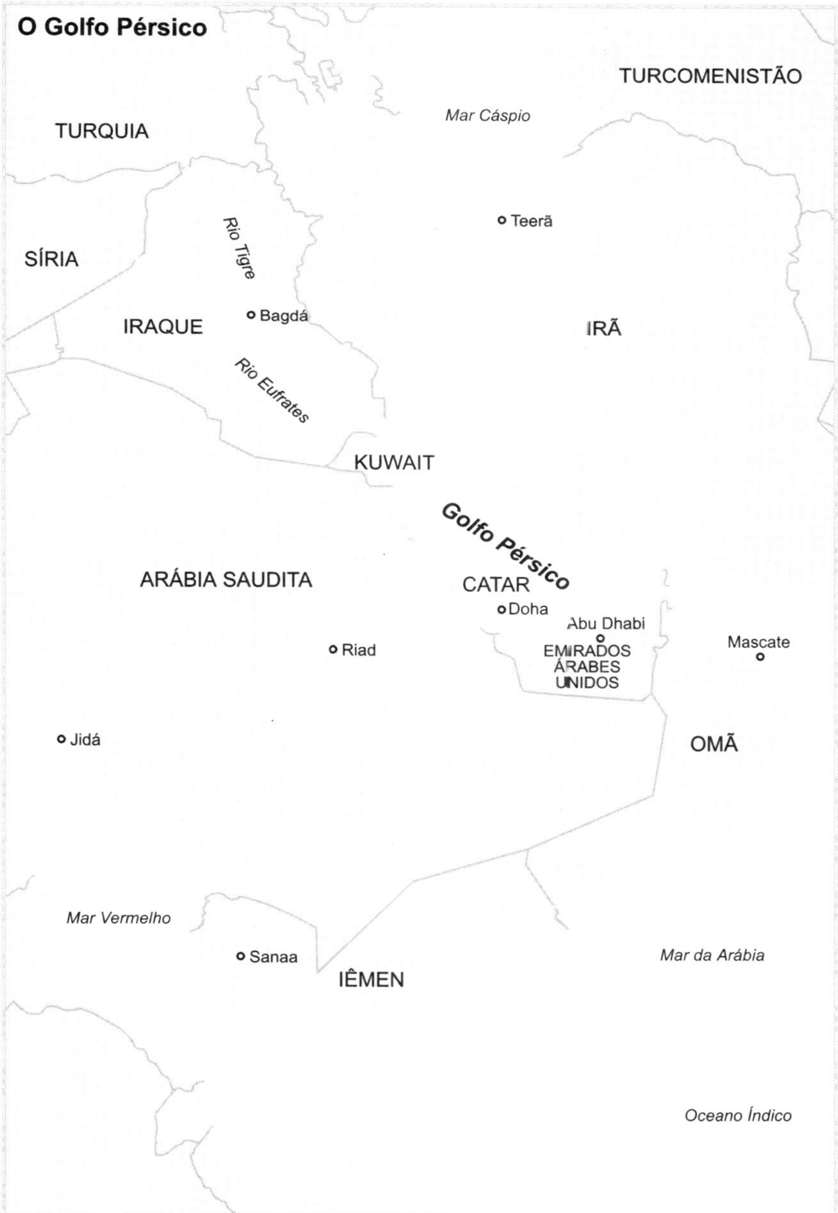
O Golfo Pérsico
TURCOMENISTÃO
Mar Cáspio
TURQUIA
Teerã
SÍRIA
Rio Tigre
IRAQUE
Bagdá
IRÃ
Rio Eufrates
KUWAIT
Golfo Pérsico
ARÁBIA SAUDITA
CATAR
Doha
Abu Dhabi
EMIRADOS ÁRABES UNIDOS
Mascate
Riad
Jidá
OMÃ
Mar Vermelho
Sanaa
IÊMEN
Mar da Arábia
Oceano Índico

Principal importador e dono dos maiores contratos de exploração da região, os Estados Unidos, potência vencedora da Segunda Guerra Mundial, fizeram do Golfo Pérsico a sua área estratégica preferencial, concentrando ali um número impressionante de bases militares, terrestres, aéreas e navais. Para melhor protegê-la, apoiaram os regimes monárquicos locais (o reino saudita e o xarado do Irã), sobre os quais exerciam tutela política e militar.

Revolução e guerra

O controle ocidental sobre o Golfo Pérsico começou a ser ameaçado devido a dois acontecimentos espetaculares que estão entrelaçados: em 1979, o xarado do Irã, principal aliado de Washington, foi derrubado por uma revolução popular liderada pelos chefes religiosos iranianos, os aiatolás, que imediatamente voltaram-se contra os americanos (denominado por eles como os agentes do "Grande Satã"). Quase em seguida, no ano de 1980, estoura a Primeira Guerra do Golfo, ocasião em que o vizinho Iraque, dominado por Saddam Hussein, ataca o Irã de surpresa, querendo aproveitar-se do caos em que o país se encontrava devido à Revolução Xiita, então em andamento. A partir daquele momento, o Golfo Pérsico conheceu uma instabilidade quase que permanente.

A emergência do Iraque

Ocupada pelos britânicos em 1917, a Mesopotâmia – em um acerto com os franceses combinado no Tratado de Sèvres, de 1920 – tornou-se um protetorado da Coroa de Sua Majestade. Em 1921, os ocupantes entregaram o trono do Iraque ao rei Faisal I, da família Hachemita, a mesma que governava a Arábia e a Jordânia. Na verdade, tratava-se de um reino títere, pois os britânicos controlavam o exército, a força pública e os poços de petróleo (através da Irak Petroleum Company, fundada em 1927). Em 1932, juntando as três principais províncias (Mossul, Bagdá e Basra), a monarquia iraquiana alcançou uma independência *proforma* sem que isso abalasse os interesses britânicos na região, retornando ao controle do império por ordem de Londres em 1941, para evitar que os nazistas conquistassem seus poços de petróleo.

A monarquia Hachemita pró-britânica foi finalmente derrubada por um sangrento golpe republicano desencadeado em 1958 – ocasião em que o rei Faisal II e seu filho Abdula foram brutalmente assassinados por ordem do general Karim Qassem. Naquela época, o Oriente Médio, tal como a maior parte do Terceiro Mundo colonizado, fora sacudido pela onda nacionalista que se insurgiu contra o domínio dos impérios coloniais europeus.

Desencadeado primeiramente no Egito, onde, desde 1882, era forte a presença britânica, o movimento nacionalista árabe liderado pelo coronel Gamal Nasser e seus jovens oficiais seguidores tomou o poder no Cairo em 1953 (oportunidade em que aboliram com a monarquia colaboracionista do rei Farouk). Desde aquela época, o nasserismo (nacionalismo + autoritarismo) serviu como modelo para os demais militares nacionalistas do Oriente Médio na sua busca pela autodeterminação política e econômica, servindo como um exemplo a ser seguido na Argélia, no Iraque, no Iêmen, no Sudão e na Líbia.

As ambições de Saddam Hussein

Durante os dez anos seguintes, de 1958 a 1968, o Iraque viu-se palco de terríveis lutas internas, nas quais os nacionalistas do partido Baaz (fundado antes na Síria, por Michael Aflak nos anos 40) conseguiram impor-se sobre seus rivais, a ferro e a fogo. Sendo um mosaico de etnias (árabes, assírios, iranianos, curdos, etc.) e de rivalidades religiosas (sunitas *versus* xiitas), o poder no Iraque quase sempre foi disputado a tiros e mantido por meio de repressão e de massacres. Duas medidas nacionalistas, então, atingiram os interesses das companhias anglo-americanas: a primeira delas foi a nacionalização do petróleo iraquiano, ocorrida em 1966, e a segunda foi a estatização da Irak Petroleum, em 1972.

Um nome então começou a despontar dentro do partido Baaz: o nome de Saddam Hussein, um ex-pistoleiro que participara do fracassado atentado ao general Kassem (acusado pelos nacionalistas árabes de ser muito próximo dos comunistas) e que dali por diante, como chefe do Comitê Militar Revolucionário (CMR, órgão dirigente supremo do Iraque), se manteria no poder por meios repressivos e violentos. Nos anos 70, Saddam tornou-se o verdadeiro homem-forte do Iraque, desenvolvendo, graças aos lucros do petróleo, uma intensa política de modernização do país (ensino público e saúde gratuitos, investimentos em infra-estrutura, hospitais, pontes, estradas de rodagem e de ferro, inclusive energia nuclear, liberalização feminina, etc).

Distribuição étnico-religiosa do Iraque

Curdos	Sunitas	Xiitas
Localizados no norte do Iraque, formam 18% da população e lutam pela independência.	Ocupam a região central do Iraque, a área de Bagdá, e controlam o poder político. São 17% da população.	Localizam-se no sul do Iraque e formam 65% da população do país.

Com o tempo, uma expressiva classe média de profissionais, técnicos e administradores passou a usufruir de um excelente padrão de vida. O sucesso da sua política somou para que Saddam Hussein ambicionasse tomar o lugar do xá Reza Pahlevi, derrubado pela Revolução Xiita iraniana de 1979, tornando-se o novo gendarme do Golfo Pérsico. Acreditou que, com o naufrágio do Irã, chegara a vez do Iraque, com seus quase 440 mil km^2, mais de vinte milhões de habitantes, sendo o país mais bem servido em água de todo o Oriente Médio e dono da segunda maior reserva de petróleo do mundo (estimada entre 115 e 220 bilhões de barris), tornar-se a única potência da região. Saddam Hussein imaginou ser um novo Nabucodonosor (605-562 a. C.), o famoso rei da Babilônia citado na Bíblia, que imperara sobre toda a Mesopotâmia e sobre a Palestina há séculos passados. Daí aquela obsessão de Saddam Hussein em construir palácios luxuosos espalhados pelo Iraque, pois Nabucodonosor entrou para a história devido aos magníficos Jardins Suspensos da Babilônia, cuja construção fora por ele ordenada.

Na entrada dos anos 80, Saddam Hussein estava pronto para ir à guerra em nome do mundo árabe, contra os velhos rivais persas, ao mesmo tempo em que, atacando as forças do aiatolá Khomeini, protegeria o Mundo Sunita do expansionismo da Revolução Xiita do Irã. Vencido o conflito, ele se tornaria o novo senhor do Golfo Pérsico. Naquela ocasião, os Estados Unidos encontravam-se em fortes desavenças com o governo revolucionário do Irã, que desmontara o exército do xá, armado e treinado pelos americanos. Os americanos apoiaram, então, o projeto de Saddam Hussein de liquidar com o Irã por meio de uma guerra-relâmpago.

A primeira guerra do Golfo Pérsico (1980-88)

> *Homens mortos, não ramalhetes de flores/ Cobriam os acessos/ As muralhas gretadas/ As portas altas, os caminhos/ Tudo semeado de mortos/ Nas praças onde se reuniam multidões divertidas/ Agora se encontram dispersos.../ os cadáveres se desfazem, como a gordura ao Sol.*
>
> Poema anônimo – *O Lamento de Ur*, 2000 a. C.

A tensão entre os dois vizinhos, o Irã revolucionário-teocrático e o Iraque baazista-secular, foi quase que instantânea. Líderes religiosos mandavam mensagens de Teerã insuflando os xiitas do sul do Iraque a livrarem-se do governante "ímpio" de

Bagdá. As ameaças de ambos os lados fizeram com que Saddam Hussein tomasse a iniciativa. Ao mesmo tempo em que isso se dava, o Egito, até então a nação símbolo da emancipação do Oriente Médio, foi expulso da Liga Árabe em 1979, devido a sua política de reconhecimento do Estado de Israel.

Fato que atiçou Saddam Hussein a empunhar o bastão da liderança árabe, parecendo ao Mundo Sunita como o seu novo campeão em uma guerra bem-sucedida contra o inimigo xiita. Além disso, ao lutar contra o velho adversário persa, a guerra serviria para forjar um real sentimento patriótico em todos os iraquianos, ao mesmo tempo em que projetaria a liderança absoluta de Saddam Hussein sobre todo o país.

O botim, o prêmio da guerra, seria a anexação de uns 200 quilômetros da região de fronteira que abrangia o Chatt-al-Arab, o Canal dos Árabes, região rica em petróleo controlada pelos iranianos e área historicamente reivindicada pelo Iraque – que, dominando-a, ampliaria o seu acesso ao Golfo Pérsico.

Em um primeiro momento, bem-armado e equipado com material bélico soviético, o Iraque executou um ataque de surpresa, em setembro de 1980, com 190 mil homens, 2.200 tanques e 450 aviões, e conseguiu penetrar duzentos quilômetros ao longo de toda a fronteira iraniana. Mas não demorou para ser detido por um enorme esforço dos iranianos. Os aiatolás conseguiram mobilizar milhares de combatentes, formando a *Pasdaran* (a Guarda Revolucionária) e os *Basijs* (voluntários mártires do exército popular), jogando-os em ondas humanas contra as posições iraquianas. A guerra que começara móvel, com tanques e aviões, tornou-se então uma dura luta de trincheiras, uma brutal guerra de atrito.

Em 1982, o Iraque, vendo frustrada a sua guerra-relâmpago, foi obrigado a recuar. O aiatolá Khomeini não aceitou nenhuma solicitação de trégua, e a guerra continuou, ainda que já tivesse provocado a morte de cento e vinte mil iranianos e sessenta mil iraquianos. Só que, a partir de 1984, com a Operação Ramadã desencadeada pelo Irã, ela foi travada no território iraquiano, concluindo com o grande cerco de Basra, feito por meio milhão de iranianos, onde se deu uma das maiores batalhas desde a Segunda Guerra Mundial. Somente em 1986, com milhares de perdas, é que o Iraque, reforçando seu equipamento bélico e recorrendo inclusive aos gases venenosos, conseguiu reverter o desastre. Por fim, em agosto de 1988, o Irã, reduzido à inoperância, aceitou as determinações da resolução 598 da ONU, pondo fim ao longo e mortífero conflito que causou a perda de quase um milhão de iranianos (300 mil mortos e 500 mil feridos) e de 375 mil iraquianos.

Etapas da Primeira Guerra do Golfo

1980-82	Ofensiva do Iraque ao longo da fronteira iraniana.
1982-84	Contra-ofensiva iraniana, recuo do Iraque para os limites originais.
1984-87	Guerra de atrito em solo iraquiano. Guerra de trincheiras. Batalha de Basra.
1987-88	Contra-ofensiva iraquiana obriga o Irã a aceitar a paz, assinada em 22 de agosto de 1988.

A segunda guerra do Golfo Pérsico (1990-91)

Mesmo tendo sido bem-sucedido no campo de batalha, Saddam Hussein teve uma vitória de Pirro*. A não ser reforçar sua autoridade sobre o Iraque, nada usufruiu do resultado final de oito anos de terríveis combates, pois não integrou nenhum dos territórios pretendidos. Endividado em 85 bilhões de dólares com as monarquias vizinhas, numa guerra cujos gastos gerais de reconstrução

*Pirro I (318-272 a. C.), rei de Epiro (Grécia) e primo de Alexandre, o Grande, derrotou os romanos na batalha de Ásculo, em 279 a. C. Mas seus exércitos haviam sofrido tamanhas perdas que ele teria exclamado, ao fim do embate: "Outra vitória igual a esta será o meu fim!". Desde então, usa-se a expressão para designar uma vitória com ares de derrota. (N. do A.)

atingiram 230 bilhões de dólares, e só recebendo 14,2 bilhões da conta das exportações, o ditador começou a pressionar o emirado do Kuwait: queria que o vizinho elevasse os preços do petróleo para o Iraque poder pagar seus compromissos. Exigiu também receber uma vultosa indenização pelas perdas que o Iraque tinha na exploração em conjunto com o Kuwait de certos poços de petróleo em Ramaillah, na embocadura do Golfo Pérsico. Além disso, Saddam Hussein pediu à família Al-Sabat, que domina o Kuwait, que concordasse com uma moratória da dívida iraquiana. Como não foi atendido em nenhum dos dois casos, Saddam Hussein decidiu punir o Kuwait com uma invasão militar, seguida de total ocupação. No dia 2 de agosto de 1990, um exército de cem mil iraquianos adonou-se do emirado.

A intervenção norte-americana

Apoiado na resolução nº 678 da ONU – que ordenava que o Iraque evacuasse imediatamente o Kuwait, até o dia 15 de janeiro de 1991 –, o presidente dos Estados Unidos, George Bush, mobilizou a opinião pública mundial contra Saddam Hussein. Era indefensável a guerra de anexação a que o ditador se lançara. Organizando a Operação Escudo do Deserto, o presidente americano conseguiu a adesão de 28 países na sua campanha anti-Iraque, fazendo também com que as despesas da operação fossem pagas por diversos países interessados na estabilidade do Golfo Pérsico (especialmente o Japão e a Europa Ocidental).

Como Saddam Hussein não podia voltar atrás, sob pena de desmoralizar-se frente à coalizão ocidental (especialmente as tropas anglo-americanas), no dia 17 de janeiro teve início a Operação Tempestade no Deserto. Durante 47 dias, Bagdá e outras cidades importantes do Iraque foram bombardeadas, sendo que o exército iraquiano capitulou no dia 27 de fevereiro, depois de um devastador ataque dos anglo-saxões, sob o comando do general Norman Schwarzkopf. Batendo em retirada, Saddam Hussein determinou a destruição e o incêndio de mais de trezentos poços de petróleo do Kuwait, o que causou uma descomunal tragédia ecológica no Golfo Pérsico.

A ação bem-sucedida dos americanos devia-se a um motivo bem simples. Por razões estratégicas, econômicas e geopolíticas, os Estados Unidos, a única hiperpotência do planeta e o maior consumidor de petróleo do mundo*, não podiam aceitar que as mais importantes reservas do ouro negro de toda a Terra caíssem no controle de um homem só. A conseqüência direta disso foi que os Estados Unidos resolveram então acampar definitivamente ao redor da Península Arábica, montando bases militares, terrestres, aéreas e navais nos emirados da região (no Kuwait, no Catar, no Bahrain, no Iêmen e em Omã, e igualmente na Arábia Saudita). Com a poderosa 6ª frota navegando no mar Mediterrâneo e outra esquadra dominando o Mar Arábico e o Golfo Pérsico, o mundo árabe viu-se cercado por todos os lados. Exatamente por isso, por não terem retirado as suas tropas depois da Guerra do Golfo em 1991, os Estados Unidos se viram alvos de atentados dos fundamentalistas muçulmanos, liderados por Osama bin Laden, que consideravam a presença dos soldados americanos uma profanação ao *Ummã*, a terra sagrada do Islã.

A punição ao Iraque

Além de ter estimulado os xiitas no sul e os curdos no norte a rebelarem-se contra Saddam Hussein, os Estados Unidos fizeram com que fossem adotadas severíssimas sanções contra o regime iraquiano, isolando-o do mundo. Duas Zonas de Exclusão Aérea foram fixadas no Iraque, uma no paralelo 33° e outra no paralelo 36°, a pretexto de proteger os curdos e os xiitas de um possível ataque aéreo. Elas tornaram-se uma verdadeira camisa-de-força na qual o Iraque ficou preso. Além disso, o Iraque somente pode-

* O consumo médio de petróleo dos EUA é de 33 barris diários por habitante. O da Europa é 22 barris diários por habitante, e o do Brasil é de 4. (N.do A.)

ria exportar petróleo até o valor de cinco a seis bilhões de dólares/ano, valor insuficiente para atender as necessidades alimentares e as carências gerais da população iraquiana.

Essas medidas fizeram com que, em dez anos de embargo, de quinhentas a seicentas mil crianças iraquianas perdessem a vida por falta de assistência e de remédios. E, como humilhação definitiva, o Iraque deveria acolher uma equipe de inspetores da ONU para verificar e supervisionar *in loco* o desmantelamento de todas as possíveis armas de destruição em massa que ainda teriam restado nas mãos do regime de Saddam Hussein (químicas, biológicas ou nucleares). Em 1998, os inspetores da ONU foram denunciados por acolherem em seu meio espiões a serviço da CIA, e o Iraque exigiu então que eles fossem expulsos do país. De fato, os espiões do serviço secreto norte-americano recolheram informações que serviram aos bombardeios pontuais que a aviação anglo-americana continuou fazendo sobre alvos iraquianos nas Zonas de Exclusão Aérea – além de fornecer dados à tentativa, ainda que inútil, de localizar o paradeiro de Saddam Hussein para assassiná-lo.

A terceira Guerra do Golfo Pérsico (2003)

Depois dos atentados de 11 de setembro de 2001, o Iraque voltou à ordem do dia. O governo do presidente George W. Bush, em nome da "guerra global contra o terrorismo", passou a acusar Saddam Hussein de esconder armas de destruição em massa e de desprezar as resoluções da ONU que exigiam o desarme total e completo do país. Alegou que mais cedo ou mais tarde o ditador alcançaria aquelas armas a grupos terroristas e esses as usariam contra cidadãos americanos. O grupo de falcões – direitistas chamados de neoconservadores – que faz parte do governo republicano (Donald Rumsfeld, Paul Wolffowitz, Dick Cheney), homens do Pentágono sedentos de vingança, tem planos de recolonizar o Oriente Médio, submetendo toda a região ao controle direto ou indireto dos Estados Unidos.

Depois que o Conselho de Segurança da ONU negou-se a autorizar uma guerra preventiva contra o Iraque, especialmente pela intervenção da França e da Alemanha, por entender que o país não representava nenhum tipo de ameaça aos seus vizinhos, os governos anglo-americanos de George W. Bush e Tony Blair resolveram mesmo assim ir em frente.

Concentrando 242 mil soldados no Kuwait, aviões, grandes navios – inclusive cinco porta-aviões –, cercando o debilitado Iraque por todos os lados, a ofensiva anglo-americana, iniciada em 19 de março de 2003, não teve dificuldades em, movendo-se diretamente para Bagdá, liquidar com a resistência iraquiana ao final de 25 dias de combates. A desproporção de forças foi incomensurável. De um lado estavam duas das maiores potências militares do mundo, donas de um arsenal convencional e nuclear capaz de arrasar com a vida no planeta; do outro, um empobrecido e debilitado país do Terceiro Mundo sem as mínimas condições de opor uma resistência efetiva. Despejando sobre Bagdá e outras cidades mais de vinte mil bombas e mísseis, o ataque da coligação anglo-americana literalmente pulverizou o regime de Saddam Hussein, deixando que suas cidades fossem submetidas ao saque e à pilhagem por multidões famintas e humilhadas.

Poema do saque de Bagdá

Começou então o saque de Bagdá
Magníficas mesquitas
Imensas bibliotecas da literatura persa e árabe
A maior universidade do mundo
Palácios, palácios, palácios
Queimados e os homens assassinados
Mulheres e crianças levadas para Caracorum como escravas.

Douglas Clark – Hulagu's Ride, 1996

A luta contra o terrorismo, pretexto utilizado pelos Estados Unidos na guerra contra o Iraque, tornou-se o grande motivo para que a hiperpotência americana ocupasse militarmente parte do Oriente Médio, dentro dos moldes do colonialismo do século XIX, quando um império qualquer, ocultando seus interesses econômicos ou estratégicos, ocupava um país do Terceiro Mundo com o pretexto de querer civilizá-lo ou dotá-lo de instituições políticas avançadas. Para tanto, o presidente encontrou respaldo na aprovação feita pelo Congresso norte-americano, no ano de 2002, da nova Estratégia da Segurança Nacional, que defende, sem o necessário consentimento de nenhuma organização mundial, o princípio do direito à guerra preventiva. Princípio, diga-se, impossível de ser sustentado aos olhos do direito internacional. O Iraque, dividido em três grandes áreas de ocupação, seria administrado futuramente por generais e diplomatas americanos.

Quadro das guerras do Golfo Pérsico

Data	Conflito	Resultados
1980-88	Guerra Irã-Iraque	Vitória militar não conclusiva do Iraque. Ambos os países se debilitaram.
1990-91	Guerra do Kuwait	O Iraque foi obrigado a retirar-se do Kuwait pela Operação Tempestade no Deserto, liderada pelos E.U.A.
1998-2003	Guerra da Zona de Exclusão Aérea	Limitada aos sistemáticos bombardeios da aviação anglo-americana sobre alvos iraquianos selecionados.
2003	Guerra anglo-americana contra o Iraque	Ocupação anglo-americana do Iraque, dissolução do regime de Saddam Hussein.

35

Síntese dos conflitos entre o Ocidente e o Oriente*

Tempos mitológicos

A princesa argiva Io, que deu seu nome aos gregos jônicos, fora raptada por mercadores fenícios. Em represália, logo a seguir, é o próprio Zeus, na forma de um belo touro branco, quem seqüestra a princesa fenícia chamada Europa. Começaram assim os desentendimentos entre os dois hemisférios.

Guerra de Tróia (século XII a. C.)

O rapto de Helena por Páris, príncipe de Tróia, obriga os guerreiros gregos liderados por Agamênon a ir à guerra para resgatá-la. Durante dez anos, os gregos cercam a grande cidade até que a conquistam por meio de um estratagema (o cavalo de madeira engendrado por Ulisses).

Guerras persas e a campanha de Alexandre (490 a 330 a. C.)

Os reis persas, depois de submeterem a Grécia Jônia, marcham para o continente europeu para dominar as cidades-estado gregas. Atenas, aliada a Esparta, resiste. Vencem os persas, em terra e no mar (Salamina e Platéias). Alexandre, o Grande, lança-se na conquista do Império Acmênida, atingindo até a Índia, helenizando a Ásia Menor e o Egito.

---

* Os conceitos de Ocidente e Oriente não obedecem necessariamente à situação geográfica, mas sim a um critério histórico-cultural.

Guerras Púnicas (264-146 a. C.)

Confronto titânico entre as duas grandes potências do Mediterrâneo daquela época, a república romana e a cidade de Cartago, ex-colônia africana da Fenícia. A guerra se estende por século e meio, da Sicília até a Ibéria, dominada pelos cartagineses. A vitória de Cipião Emiliano sobre Aníbal Barca em Zama, faz com que os romanos destruam Cartago e denominem o Mediterrâneo como *Mare Nostrum*.

Invasão moura da Ibéria (711-1221)

Explorando as divisões do reino Visigodo, instalado na Espanha, os mouros tomam de assalto as costas da Ibéria, expandindo-se depois até a França, onde são derrotados pelos francos em Poitiers (736). A ocupação da Espanha pelos mouros estende-se por setecentos anos, até a sua rendição e expulsão em seguida à tomada de Granada, em 1492, pelos reis católicos Fernando e Isabel.

As Cruzadas (1099-1291)

Atendendo ao chamado do papa Urbano II, feito em 1095, a favor de uma cruzada contra os infiéis, milhares de cavaleiros europeus e gente do povo marcharam em direção à Terra Santa para recuperá-la. Jerusalém, que havia caído no controle dos turcos seldjúcidas, convertidos ao islamismo, foi tomada de assalto em 1099. Os cruzados, após fundarem o Reino de Jerusalém, ficam na região por quase dois séculos, até serem expulsos em 1291, quando perdem definitivamente a cidade do Acre.

Invasão mongol (1239-480)

Vindas das estepes orientais, as hordas mongóis lideradas por Batu Cã, neto de Gêngis Cã, tomam Kiev e dirigem-se para a

Galícia, a Polônia e a Hungria. Os príncipes russos assumem posição subalterna na *Zolotoy Orde*, o Canado da Horda de Ouro (subdividido em 1480), situação que se prolonga até 1555, quando o Canado de Kazan é derrotado pelo czar Ivan IV, o Terrível.

Invasão e ocupação turca (1453-1913)

Turcos Otomanos conquistam Constantinopla, após terem avançado sobre os reinos balcânicos, submetendo a Albânia, a Bósnia e parte da Sérvia. Alcançam Viena, posta a sítio em 1683, mas são derrotados e refluem para os Balcãs, de onde somente recuam nas vésperas de 1914, quando são expulsos por uma coligação dos reinos balcânicos (Sérvia e Bulgária).

A conquista da Ásia (1498-1857)

Desde a viagem de Vasco da Gama a Calicute, na Índia (1498), mercadores e navegantes europeus (portugueses, espanhóis, holandeses e ingleses) lançam-se em direção ao Oriente, ocupando feitorias na Índia (Calicute e Calcutá), na Indonésia (Java e Timor), China (Hong Kong) e Japão. Em grande parte, tal expansão foi uma reação à queda de Constantinopla, ocorrida em 1453, estimulando um novo tipo de cruzada contra o Islã: uma cruzada comercial.

A conquista do Magreb e do Egito (1830-1882)

No século XIX, as potências colonialistas européias (franceses, espanhóis, italianos e ingleses) ocupam o Norte da África, desde o Marrocos até o Egito, estendendo-se até o Sudão.

Guerra contra os turcos otomanos (1914-1918)

As potências coloniais européias, a Grã-Bretanha e a França, derrotam a Sublime Porta Otomana em 1918. Em seguida, pelo tratado secreto de *Sykes-Picot*, de 1916, dividem entre si as antigas províncias árabes do império otomano (os ingleses ficam com a Mesopotâmia, a Arábia Saudita, o Adem, a Palestina e a Jordânia, enquanto os franceses fazem da Síria e do Líbano um protetorado).

A revolta contra o Ocidente (1945-1975)

Rebeliões armadas na maioria das colônias africanas e asiáticas contra o domínio das potências européias. Movimentos de libertação nacional, alternando lutas de guerrilha com atentados, eclodem por todos os lados, obrigando as metrópoles ocidentais a concederem a independência (da Índia, da Birmânia, da Malásia, da Indonésia, da Indochina, da Argélia, da Líbia, do Iraque, da Guiné, da Nigéria, do Congo, de Angola, de Moçambique, etc.).

As guerras de Israel

Fundado em 1948, o Estado de Israel, apoiado pelo Ocidente, particularmente pelos Estados Unidos, travou diversas guerras contra os países vizinhos (nos anos de 1948, 1956, 1967, 1973, 1982) e contra os levantes palestinos (*Intifadas*). Os Estados Unidos mantêm a 6ª frota na região e, circunstancialmente, desembarcaram tropas no Líbano (1982).

A Segunda Guerra do Golfo (1991)

Apoiados no mais amplo consenso internacional, os Estados Unidos, comandando a Operação Tempestade no Deserto, autorizada pela ONU, derrotaram as tropas iraquianas que haviam ocupado o emirado do Kuwait. O Iraque foi obrigado a aceitar as Zonas de Exclusão Aérea impostas pelos EUA-GB, nas quais os aviões de Saddam Hussein, ditador do Iraque, estavam proibidos de voar.

A Terceira Guerra do Golfo (2003)

A pretexto de que o regime iraquiano não cumprira as determinações da ONU no sentido de desarmar-se inteiramente, mantendo estoques de armas de destruição em massa, os Estados Unidos e a Grã-Bretanha, à revelia da Comissão de Segurança da ONU, moveram uma guerra de agressão ao Iraque que se estendeu por 25 dias.

Bibliografia

Armstrong, Karen. *Em nome de Deus: o fundamentalismo no judaísmo, no cristianismo e no islamismo*. São Paulo: Cia. das Letras, 2001.

______. *Jerusalém, uma cidade, três religiões*. São Paulo: Cia. das Letras, 2001.

Bellow, Saul. *Jerusalém, ida e volta*. Rio de Janeiro: Editora Nova Fronteira, 1977.

Benz, W.; Gram, H. *El siglo XX – Problemas mundiales entre los dos bloques de poder, III*. México: Siglo XXI editores, 1982.

Brandão, Junito de Souza. *Mitologia grega*. 3 v. Petrópolis: Vozes, 1989.

Bonnet, Gabriel. *Guerras insurrecionais e revolucionárias*. Rio de Janeiro: Biblioteca do Exército, 1963.

Bright, J. *História de Israel*. São Paulo: Paulinas, 1985.

Brissaud, Alain. *Islão e Cristandade*. Lisboa: Puma, 1993.

Cahen, Claude. *El Islam, I – desde los orígenes hasta el comienzo del imperio otomano*. Madri: Siglo XXI, 1972.

Crossan, John Dominique. *El Jesus historico: la vida de un campesino judio del Mediterraneo*. Buenos Aires: Planeta, 1994.

Daniel-Rops. *A Igreja dos apóstolos e dos mártires*. São Paulo: Quadrante, 1988.

______. *A vida quotidiana na Palestina no tempo de Jesus*. Lisboa: Livros do Brasil, s/d.

Diez del Corral, L. *El rapto de Europa*. Madri: Alianza Editorial, 1974.

Donini, Ambrogio. *História do cristianismo, das origens a Justiniano*. Lisboa: Edições 70, s/d.

Dougier, Henry (org.). *Toledo, séculos XII-XIII, muçulmanos, cristãos, judeus: o saber e a tolerância*. Rio de Janeiro: Jorge Zahar, 1993.

DOZY, R.-P. *Historia de los musulmanes de España*. 2 v. Barcelona: Iberia, 1954.

FANNON, Franz. *Os condenados da Terra*. Rio de Janeiro: Civilização Brasileira, 1968.

GRUNEBAUN, G.E. von. *El Islam – II desde la caída de Constantinopla hasta nuestros dias*. Madri: Siglo XXI, 1975.

HOURANI, Albert. *Uma história dos povos árabes*. São Paulo: Cia. das Letras, 1994.

JALDUN, Ibn. *Introducción a la historia universal Al-Muqaddimah*. México: Fondo de Cultura Económica, 1997.

KIRK, George E. *História do Oriente Médio*. Rio de Janeiro: Zahar, 1967.

LAWRENCE, T. E. *Os sete pilares da sabedoria*. Rio de Janeiro: Record, s/d.

LEFEBVRE, George. *Napoléon*. Paris: Presses Universitaires de France, 1969.

LEWIS, Bernard. *O Oriente Médio*. Rio de Janeiro: Jorge Zahar, 1996.

______. *Os árabes na história*. Lisboa: Estampa, s/d.

MAALOUF, Amin. *As cruzadas vistas pelos árabes*. São Paulo: Brasiliense, 1988.

MANTRAN, Robert. *Expansão muçulmana: séculos VII-XI*. São Paulo: Pioneira, 1977.

MARSAHLL, P.J. (ed.). *Cambridge Illustrated History British Empire*. Cambrigde: Cambridge University, 1996.

MASSU, Jacques. *La vraie bataille d'Alger*. Paris: Plon, 1971.

NAIPUL, V. S. *Entre os fiéis: Irã, Paquistão, Malásia, Indonésia – 1981*. São Paulo: Cia. das Letras, 1999.

OLDEMBURG, Zoé. *As Cruzadas*. Rio de Janeiro: Civilização Brasileira, 1968.

OURSTER, Fulton; Armstrong, A. O. *A maior fé que já houve no mundo*. São Paulo: Melhoramentos, s/d.

PACUT, Marcel; Bouju, Paul M. *O mundo contemporâneo: 1945-1975*. Lisboa: Presença, 1979.

PERROY, Édouard. A Idade Média – a preeminência das civilizações orientais. In: *História geral das civilizações*. vol. 6. São Paulo: DIFEL, 1964.

RICHARDSON, Peter. *Herod, king of the jews and friend of the romans.* South Carolina do Sul: University of South Carolina, 1996.

RODINSON, Maxime. *Islam et capitalisme.* Paris: Seuil, 1966.

ROUSSET, Paul. *História das Cruzadas.* Rio de Janeiro: Zahar, 1980.

RUNCIMAN, Steven. *Historia de las cruzadas.* 3 v. Madri: Alianza, 1973.

SACHR, Howard M. *A History of Israel: from the rise of zionism to our time.* New York: Alfred Knopf, 1996.

SAID, Edward W. *Orientalismo.* São Paulo: Cia. das Letras, 1998.

_______. *Cultura e Política.* São Paulo: Boitempo, 2003.

SOLIMAN, Lotfallah. *Por uma história profanada da Palestina.* São Paulo: Brasiliense, 1990.

TASSO, Torquato. *Jerusalém libertada.* Rio de Janeiro: Topbooks, 1998.

TOLSTOI, Leon. *Obras completas.* 3 v. Rio de Janeiro: Aguilar, 1960.

TOYNBEE, Arnold J. *Estudio de la Historia.* 8 v. Buenos Aires: Emecé, 1953.

______. *De Leste a Oeste.* São Paulo: Ibrasa, 1959.

______. (dir.) *El crisol del cristianismo: advinimiento de una nova era.* Madri: Alianza/Labor, 1988.

VIDAL-NAQUET, Pierre. *Les crimes de l'armée française.* Paris: La découverte/Poche, s/d.

IMPRESSÃO:

GRÁFICA EDITORA
Pallotti
IMAGEM DE QUALIDADE

Santa Maria - RS - Fone/Fax: (55) 222.3050
www.pallotti.com.br
Com filmes fornecidos.